翻訳夜話

村上春樹　柴田元幸

文春新書

129

翻訳の神様　まえがきにかえて

村上春樹

ずっと以前から、翻訳についての本をいつか書きたいと思っていた。それは翻訳の技法や歴史や目的についての本ではなく（まあ、そんなものは書こうと思ったところで書けっこないわけだけど）、「どうして自分は翻訳をしなくてはならないのか？」というシンプルな疑問に対して、自らが答える内容の本になるはずだった。というのは、これまでずいぶん多くの人に「村上さんは本職が小説家なのに、そしてけっこうお忙しいでしょうに、どうしてそんなに熱心に翻訳をするのですか」というような質問を受けてきたし、僕自身、自分がどうしてこんなに一生懸命、寸暇を惜しんで翻訳に励まなくてはならないのか、ときどき不思議に思っていたからだ。

決して自慢するわけではないのだが、プロの翻訳家から作家に「転身」した人々を別にすれば、僕くらいたくさんの翻訳をこなしている現役の小説家は、ちょっといないのではないかと思う。そして打ち明けてしまえば、翻訳をするというのは、僕にとって苦痛でもなんでもないのだ。誰に頼まれなくても、翻訳のことになると、ついつい手が動いて、仕事が進んでしまう。いったいどうしてそんなことが起こるのだろう？

それについては、この本の中でも再三語ったし、その結果いくつかの理由や動機のようなものは明確に列挙できるようになったと思う。しかしそれでもなおかつ、翻訳をしているときに、僕がどうしてこんなにも「生き生きとした気持ちになれる」のかという問いかけの説明にはなっていないような気がする。それをわかりやすく説明するのはむずかしい。しかしいずれにせよ、机の左手に気に入った英語のテキストがあって、それを右手にある白紙に日本語の文章として立ちあげていくときに感じる喜びは、ほかの行為では得ることのできない特別な種類のものである。

もちろん翻訳というのは決して簡単な作業ではない。手間もかかるし、時間もかかる。大きな責任も負わなくてはならない。それに対する経済的な報酬も、ほとんどの場合、それほど大きなものではない。しかしそこには何にもまさる無形の報い（bounty）があるように、僕には感じられる。いささかオーバーな物言いをすれば、どこか空の上の方には「翻訳の神様」がいて、その神様がじっとこっちを見ているような、そういう自然な温かみを感じないわけにはいかないのだ。

僕は柴田元幸さんと話したり、一緒に仕事をしたりしていると（かれこれ十五年ばかりつきあいがある）、「ああ、この人も翻訳をしているときに、きっと僕と同じ喜びを同じように感じているんだろうな」と常に実感することになる。そう感じずにはいられない人なのだ。肩書きから言うと、柴田さんは東大の助教授であり、正統的に英語を研究された第一線の研究者である。それに比べると僕は専門的に英語を勉強したことが一度もない、ただのやくざな小説家である。バックグラウンドはずいぶん違う。しかし、それにもかかわらず、僕らは文芸翻訳という一種の病に（情熱に）とりつかれているという共通認識を仲立ちにして、それぞれに励ましあい、刺激を与えあってくることができた。情報を交換することもできた。僕は小説家としてのパースペクティブをわずかなりとも提示できたと思うし、柴田さんは僕に言語が言語であることの完結性のようなものを辛抱強く教示してくれた。それは僕にとってはとても有益なことだった。しかしだから柴田さんの翻訳が論理的で、僕の翻訳が感覚的かというと、そうでもないところが文芸翻訳の面白さである。これは二人の「競訳」を読み比べていただければおわかりいただけるのではないかと思う。

このようにして、柴田さんとの共著というかたちで、翻訳についての本を上梓できたことは、僕にとってまことに大きな喜びである。とはいうものの結果的にこの本が、翻訳小説を好んで読まれる読者や、翻訳を志す若い人々にとって、どのような現実的な効用を持つことになるのか、正直言って僕にはよくわからない。実際的にはほとんど役に立ちそうにもないような気がする。だからむしろ単純に、「なんだ、こいつらはずいぶん楽しく翻訳をやっているみたいだな。翻訳ってそんなに楽しいのかねえ」と感心したりあきれたりしながらこの本を読んでいただけると、僕としてはとても嬉しい。

翻訳夜話　目次

海彦山彦

翻訳夜話

フォーラム1　柴田教室にて

一九九六年十一月、東京大学教養学部の、柴田の翻訳ワークショップに、村上がゲストとして参加。翻訳を語り、また学生からの質問に答えた。学生は約百人、おもに教養課程の学生たちで、村上の参加は事前に知らされていなかった。このフォーラムがきっかけとなって、本書が生まれることになる。

偏見と愛情

柴田　今日の授業は、ごらんのとおり村上春樹さんにおいでいただきました。翻訳についていろいろお話をうかがえればと思っています。最初に、僕のほうからいくつか質問させていただきます。まず、村上さんは小説家としてご自分の文章を書かれる方でもあるし、翻訳をされる方でもあるわけですけれども、自作するのと翻訳するのとでは脳味噌の使い方はずいぶん違いますか。

村上　違いますね。小説を書くのと翻訳するのとでは、脳の中は全く逆の側が使われている感じがするんです。小説をずっと書いていますと、こっち側（と右側のこめかみを指でさす）あたりを使っているなという感じがするわけです。だから小説を書き終えちゃうと、翻訳が自然にしたくなるんです。つまり今度はこっちのほう（と左のこめかみを指でさす）を使いたいなというのが出てくるわけですね。左右は逆かもしれないけど、とにかく。それで、誰に頼まれたわけでもないんだけど、自然に机に向かって翻訳をしちゃうという傾向があります。そうしないとうまく自分のなかでバランスがとれないということなのかな。

小説を書くというのは、簡単に言ってしまうなら、自我という装置を動かして物語を作っていく作業です。自我というか、エゴというか、我《が》というか。我を追求していくというのは非常に危険な領域に、ある意味では踏み込んでいくことです。ある場合にはバランスを失うぎりぎりのところまで行かなくてはならないし、外の世界との接触が絶たれていく場合も多いんです。それくらいの危機をはらんだ作業であるということができる。出来上がったものが立派であるかどうかは、また別の問題として。

ところが翻訳というのはそうじゃない。テキストが必ず外部にあるわけです。だから外部の定点との距離をうまくとってさえいけば、道に迷ったり、自己のバランスを崩したりというようなことはまずない。こつこつとやっていれば、ほとんどの部分は論理的に解消できます。そういう作業は僕にとっては、すごくありがたいことなんです。ほっとできるというか。

柴田　素人考えでいくと、基本的には翻訳するよりもご自分の文章を書くほうが大変だろうなと思うわけですけれども、翻訳するほうが大変な面というのは何かありますか。

村上　気持ち的にはそりゃ翻訳のほうがずっと楽ですよ。立ち上げのところを考えなくていいから。考えなくていいというのは表現が過激だけど、要するに、ほとんど語学的、文章的、技術的なことだけを追求していればいいから。それに比べて小説を書くのって、ゼロからいちいち起こしていくわけだから、それはしんどいです。

ただ創作には原理的に作者の間違いってまずないんです。なんか変だといわれても、それはフィクションだ、ということでだいたい片づけられる。なんたって作者は神様ですから。たとえばフォルクスワーゲン・ビートルのラジエーターのことを僕は一度書いたことあるんですが、よく考えたら、ビートルは空冷エンジンだから、ラジエーターなんて存在しないですよね。でも極端なことを言えば、「これは別の宇宙の話であって、そこではビートルはちゃんと水冷なんだ。それで何が悪い」と断固突っ張ることだってできます。なにせ小説だから。

しかし翻訳だとそうはいかないですよね。テキストが厳然として存在するから、間違いはあくまで間違いであって、それは間違いとしてあとあとまで残りますよね。そのへんが大変といえば大変かなあ。

柴田　なるほど。では逆に、ご自分の作品が翻訳されるということについてはいかがでしょうか。自作が翻訳される場合に、翻訳家なり訳文に何を求められるかをお聞かせ願えますか。

村上　ひとくちでいえば愛情ですね。偏見のある愛情ですね。偏見があればあるほどいいと。

柴田　ご自分の作品が訳されたものを読んで、これは愛情があるなというのがわかりますか。

村上　わかりますよ、それは。僕のを英語に訳している人は三人いるんだけど、おもだった人は二人で、一人はアルフレッド・バーンバウムというアメリカ人、もう一人はジェイ・ルービンという人で、バーンバウムは一種のボヘミアンなんです。特に定職もなく、大学に属しているわけでもなくて、タイに行ったりミャンマーに行ったりフラフラして暮らしている。彼はある場合には自分の好きなように訳すんです。正確かどうかよりは、出来上がりのかたちを重視する。だからわりに自由自在にやって、部分的に適当に削ったりもする、勝手に（笑）。もちろんほとんどのところでは忠実に訳しているけど。場合によっては、ということです。

柴田　増やしたりはしないですか。

村上　増やさないですね（笑）。増やされるとさすがにまずいですよね。それに比べてジェイ・ルービンはハーヴァード大学の正教授で、社会的にもきちんとした偉い人で、ユーモアの感覚みたいなのはすごくあるんだけど、翻訳作業については非常に真面目で厳密な人で、わかんないことがあるといつも電話をかけてくるんです。ここの「は」は本当は「が」じゃないかとかね（笑）。

全く逆な性格の二人なんです。でも僕はどっちの翻訳者も個人的には好きなんですよ。というのは、彼らは僕の作品をよく理解してくれているし、好きだし、いやなものがあればいやだとはっきり言うし。たとえばジェイは『ねじまき鳥クロニクル』は好きだけど『国境の南、太陽の西』は好きじゃないとか、バーンバウムは『世界の終りとハードボイルド・ワンダーランド』は好きだけど『ノルウェイの森』は好きじゃないとか、はっきりしているんですよね。だから、やると言った分はきちんと愛情を込めてやってくれる。

もっともバーンバウムはそう言いながら『ノルウェイの森』を講談社英語文庫で英訳しているけど、あれはたぶん生活のためだな（笑）。

柴田　ははは。

村上　彼らが訳したものを、いちおう英語訳でざっと読むわけですよ。そうするとなんか、すごく楽しく読めるんです。僕は自分が書いた小説って、まず読み返さないんですよ。読み返すととにかく恥ずかしいから。書くときはすごく一生懸命書いているんだけど、いったん書き終わっちゃうと、本のページを開くことってまずないですね。なんか脱いだ自分の靴下の匂いをかぐときのような気がして。でも、英語だと読み返せるんですよ。というのは、僕が書いたものと、そこに訳されたものとのあいだには、ある種の乖離《かいり》というか遊離があるからね。自分の書いたものでありながら、自分のものではないという二重性があるから、そのへんのすきまみたいなものを楽しんで読めちゃうのね。

ぱらぱら何ページかめくっているうちに、「けっこうおもしろいじゃん」と思い始めて、すらすら読んじゃう。あとでたとえば誰かに、「バーンバウムの訳はここがスポッと抜けているけど、いいんですか、村上さん」と言われたりするんだけど、僕は読んでいて気がつかなかったんだよね。というのは、書いたあとでぜんぜん読み返さないから、何を書いたのか書いた本人も忘れちゃっている。でもまあ結果として、おもしろければそれでいいじゃないかと思うんですよ。あまりうるさいことは言いたくないという気持ちもある。自分の書いた本なのに「おもしろいじゃない」と他人事みたいに言って、最後まで読んでしまえるというのは、訳として成功していると言ってしまっていいんじゃないかと思います。

柴田　僕も自分が英語に関わっているから、英語の翻訳だと正しさとかが気になりますけども、たとえばフランス語とかドイツ語の翻訳を読むとき、正しさよりもおもしろさを圧倒的に求めますよね。

村上　そうですね。細かいところが多少違っていたって、おもしろきゃいいじゃないかと僕も思います。でも僕自身のことを言えば、僕は翻訳者としてはどちらかといえば逐語訳です。ルービンさんのほうに近い。で、バーンバウムの訳はおもしろいと思うけど、僕だったらああいうふうにはやらないと思います。一語一句テキストのままにやるのが僕のやり方です。そうしないと僕にとっては翻訳をする意味がないから。自分のものを作りたいのであれば、最初から自分のものを書きます。もちろんそのためにはしっかり敬意を抱けるテキストを選択することが不可欠なんですけど。

柴田　そのこともぜひおうかがいしたかったんですけども、こういう翻訳論の授業をやっていると、みんなの思い込みとしては、直訳というのはだめで、いかにうまく意訳するかが翻訳の極意だ、みたいな思いがあるようなんです。でも僕が皆さんのレポートに書くコメントというのは、わりと直訳を褒めて、意訳すると凝りすぎとか、原文からずれているとかいうコメントをすることがどうも多いみたいなんですよ。

村上　正しい姿勢だと思います。

柴田　ありがとうございます。みんな聞いた、今の？（笑）。そのへんの、直訳で実はいいんだというようなあたりの話をおうかがいできますか。

村上　単純に直訳でいいんだというふうに言っているわけではないですけど（笑）。とにかく僕はそういうふうにやります、ということです。

ただ、皆さんは誰でもいちおう、自分自身の文体を持っているわけですよね。多かれ少なかれ。巧いとか、下手だとか、強固か、強固じゃないかというようなことはとりあえず別にして。そしてその文体のなかにはいろんな文章的要素が詰まっているわけですよ。たとえば語彙をどれだけ豊富に使うかというのが文体のいちばん大事なことだと思っている人もいるし、どれだけわかりにくく書くのかというのが大事なことだと思っている人もいますし、逆に、どれだけわかりやすく書くのかが大事だと思っている人もいるし。いろんな要素があります。美しく書きたいとか、簡潔にシンプルに書きたいとか、おもしろく書きたいとか。自分なりのポリシーというか、文章を書くときにプライオリティのトップにくるものが、それぞれにあるはずです。

僕の場合はそれはリズムなんです。呼吸と言い換えてもいいけど、感じとしてはもうちょっと強いもの、つまりリズムですね。だからリズムということに関しては、僕は場合によってはテキストを僕なりにわりに自由に作りかえます。どういうことかと言うと、長い文章があれば三つに区切ったり、三つに区切られている文章があったら一つにしたりとか。ここの文章とここの文章を入れ換えたりとか。

なぜそれをするかというと、僕はオリジナルのテキストにある文章の呼吸、リズムのようなものを、表層的にではなく、より深い自然なかたちで日本語に移し換えたいと思っているからです。英語と日本語のリズム感というのは基礎から違いますし、テキストの文章をそのままのかたちで訳していくと、どうにも納得できない場合がある。そう感じた場合には、僕の独断でつなぎ換えたりします。そのことに関しては「直訳派」とは言い切れないところがあるかもしれない。そのかわり、それ以外のレトリックとかボキャブラリーとか、そういうことに関してはテキストに非常に忠実にやりたいと。だから僕が皆さんに言いたいのは、ここだけは譲れないと、でもあとはしっかり譲りますと、そういうポイントを摑むといいんじゃないかなということです。そんなに単純に「直訳派」「意訳派」と区切れないところはあります。厳密に言えば。

柴田　村上さんの場合、英語一センテンス＝日本語一センテンス対応というポリシーはないですよね。特にレイモンド・カーヴァーの翻訳を拝見していると、カーヴァーよりセンテンスがやや長めになって、短いものがくっつくことが多いですね。

村上　それはまあ、僕はカーヴァーの文章というか、小説世界を、ある程度自分の血肉のように理解しているという自負みたいなものがあるからかもしれません。どんな作家に対してでもそれができるとは思わないです。

柴田　なるほど。ではこのへんで、皆さんのほうから、ぜひこれは聞いておきたいということがあれば……

かけがえのない存在として

村上　えーと、もうちょっと話していいですか。逐語訳と意訳の話になるんだけど、翻訳の訳文というのは、右の極端と左の極端との真ん中のどこかにあると思うんです。極右、こっちは身も蓋もないエリアなわけです。極左、こっちもやはり身も蓋もないエリア。で、そのふたつの真ん中に「身も蓋もある」エリアがあるわけなんです。それをどうして見つけるかというと、何が身も蓋もなくて、何が身も蓋もあるかということを識別する個人的な能力が必要なんですよね。

たとえば例を示しますと、*Living Well Is the Best Revenge* という本がありますね。* このタイトルをそのまま訳すと、「優雅に暮らすことは最良の復讐である」と。でもそう出し抜けに言われてもなんのことだかわからないですよね、日本語として。僕も突然言われてもわからないです。もちろんよくわからないということが、このタイトルのそもそもの面白さだから、訳題としてはこういうふうなタイトルをつけるしかありえないんだけど、ここでは「わからない」という要素だけを取り出して例として示しているわけです。

で、これは具体的にどういうことかというと、他人からいろいろいやな目にあって、意地悪さ

＊——カルヴィン・トムキンズ『優雅な生活が最高の復讐である』青山南訳　リブロポート　一九八四年

れて、踏みにじられて、頭にきて復讐しようと思って、復讐というと相手を殴ったり、相手をいじめ返したりすることだけど、そうじゃないんだと。そんなことは意にも介さず、あるいは意に介してもしらんぷりをして、優雅にチャラチャラと楽しく暮らせば、それが相手に対するいちばんの復讐になるんだということなんです。なかなか含蓄のある言葉です。「優雅に暮らすことは最良の復讐である」というのはまあその逐語訳で、これがいちばん左端の「身も蓋もない」世界です。

それで右側の身も蓋もないほうの訳は、そうだな、たとえば「金持ち喧嘩せず」とかになるわけ(笑)。これは例の『三四郎』の"Pity's akin to love"……、何と訳しましたっけ、「可哀想だた惚れたって事よ」。それと同じで、「金持ち喧嘩せず」では、たしかに意味はよくわかるんだけど、持ってきかたが強引すぎて、少なくとも文芸翻訳にはならない。

だからこっちの身も蓋もない領域と、反対側の身も蓋もない領域の真ん中に広がる、わりに広大な中央エリアの座標のどのあたりに自分の身を置くかという位置取り作業を、つまり何が自分にとっていちばん「身も蓋もある」かという見極めを、長い時間をかけて自分でこつこつとやっていかなくちゃいけないんですよね。これは誰かに教えられるものではなくて、その人にしかできないことだし、それがそのまま翻訳者の世界観にもなるわけです。

柴田　それをちょっとずらして言うと、訳文に盛り込みたいいろいろな要素のうち何を削って何を残すかとか、そういうことでもあるわけですか。

村上　それもあるけど、やはりセンスですね。ただ、自分にセンスがあるかないかというのは、これは難しいですよね。逆説だけど、自分にセンスがない人は、自分にセンスがないという事実を認めるセンスがないということです。あともうひとつ僕が言いたいのは、非常に不思議なことで、僕もまだ自分のなかでよく説明できないんですけど、「自分がかけがえのある人間かどうか」という命題があるわけです。たとえば、皆さんが学校を出て三菱商事に入って、南米からエビの輸入をする仕事をするとします。それで非常に一生懸命やるんだけども、じゃあ、かけがえがないかというと、かけがえはあるんですよね。もし病気で長期療養したら、別な人がそのエビの取引の位置について、一生懸命あなたの代わりにやるわけです。それで三菱商事が、たとえば皆さんが二年間病気になって困るかというと、困らないわけです。というのは別の人を連れてきて同じ仕事をやらせるわけだから。だから、あなたほどうまくやれないかもしれないけど、三菱商事が困るほどのことはないですね。

　ということは、いくら一生懸命やってもかけがえはあるわけですよね。というのは、逆に言えば、会社はかけがえのない人に来られると困っちゃうわけです。誰かが急にいなくなって、それで三菱商事が潰れちゃうと大変だから。その対極にあるのが小説家なわけです。ところが小説家に、たとえば僕にかけがえがないかというと、かけがえはあるんです。というのは僕が今ここで死んじゃって、日本の文学界が明日から大混乱をきたすかというと、そんなことはないんです。なしでやっていくんですよ。だから、全く逆の意味だけど、かけがえがないというわけではない。

柴田　取り替え可能ではないけれど……

村上　取り替え可能ではないけれど、とくに困らない。でもね、僕が翻訳をやっているときは、自分がかけがえがないと感じるのね、不思議に。

柴田　そうですか。

村上　たとえば僕がカーヴァーの翻訳をやっている。僕はそのときカーヴァーにとってかけがえのない翻訳者だと感じるわけです。考えてみたらこれはすごく不思議なんですよね。だって翻訳者こそいくらでもかけがえがあるみたいな気がしますよね。でもそのときはそうじゃないんだよね。なぜだろうと、それについて最近考えてみたんだけど、結局、厳然たるテキストがあって、読者がいて、間に仲介者である僕がいるという、その三位一体みたいな世界があるんですよ。僕以外にカーヴァーを訳せる人がいっぱいいるし、あるいは僕以外にフィッツジェラルドを訳せる人もいる。しかし僕が訳すようには訳せないはずだと、そう確信する瞬間があるんです。かけがえがないというふうに、自分では感じちゃうんですよね。一種の幻想なんだけど。

柴田　小説でも、たとえば執筆中の小説があって、自分がぱたっと死んじゃったら、その続きは誰にも書けないわけじゃないですか。翻訳でも、たとえば村上さんが途中でいやになってやめても、誰かが代わりにはできるわけですけれど、ただ思いとしては、とにかく僕の翻訳は僕にしかできないというのがあるわけですね。

村上　僕がぱたっと死んじゃって、小説が途中で終わってしまった。それは悔しいと思いますよ。

でももしそうなったとしても、誰に対しても責任はないですよね。結局は自分一人のことだから。でも翻訳はとても小さな世界なんだけど、自分が何かの一翼を担っているという感触がきちっとあるんですね。誰かと何かと、確実に結びついているという。そしてその結びつき方はときとして「かけがえがない」ものであるわけです。少なくとも僕にとっては。

柴田　なるほどねえ……。ではこのへんでフロアからどうでしょうか。質問のある人、手を挙げてください。

質問者A　翻訳されたものと原文とは、一卵性双生児みたいなものとお考えでしょうか。それとも、やはり翻訳者によっては、その文章は別なものになるとお考えでしょうか。

村上　たぶん別のものになるんでしょうね。僕はそう思います。僕は『グレイト・ギャツビー』が好きで、あれは翻訳が三つか四つ出ていて読んでいますけれども、それぞれ違いますよね、完全に。いくつかの訳を比べて読んでみると、ひとつの全体像が漠然と浮かび上がってくるということはあるかもしれませんが、個々の訳はオリジナル・テキストとは別物だと僕は思います。しかし別物であっても十分に感動できるし、その感動がオリジナル・テキストを読んだアメリカ人の読者より劣るかというと、そんなことは決してないと思います。というか、優れた小説には、そういう多少の誤差を乗り越えて機能する、より大きな力があるんです。僕はそういうふうに考えています。ただもちろん誤差は少ないほうが絶対にいいです。

柴田　じゃあ基本的には、正解の翻訳というのはありえないですか。相対主義的に、Aの人の翻訳があって、Bの人の翻訳があって……

村上　正解の翻訳は原理的にありえないと僕は思います。でもそんなことを言いだしたら、正解の読み方というのも原理的にはないということになってきますよね。どんな言語で読んだところで。

質問者B　自分の書いたものが英訳されたものを読んだとき、それはある意味で遊離したものであるから、かえって恥ずかしくなく読めるという話だったんですけれども、ということは、遊離しているということは、自分のもともと日本語で書かれた文章と翻訳された文章は、読んでみて、自分が書いたときの雰囲気そのままではない別のものになっている部分も多いということですか。

村上　いや、もっと全体的な問題ですね。ここの部分のニュアンスが違うとか、ここの部分は合っているとか、そういう細かい問題ではなくて、言語体系がまるっきり置き換えられてしまうと、全体的に何かちょっと違った世界の話だなという感じがするんです。日本語で読むと、たとえば自分の文章の癖みたいなのが透けて見えて、ああいやだなと思って、それがだいたいにおいて我慢できないんだけど、そういうところがうまい具合にすっと消えちゃっているわけです。ざらざらしたところが削られているというか、そのぶん僕としては物語の流れに素直に入っていける。僕のエゴみたいなものが表層的な部分でいくぶん薄められている。だから、観念的に少し別な世界にずれているのかなあ。

柴田　ご自分の書いた小説のディテールはあまり覚えていらっしゃらないですよね。

村上　ええ、ほとんど覚えていないです。

柴田　前に「ユリイカ」でインタビューさせていただいたときに、いろいろ聞こうと思ってけっこうディテールを予習していったら、ぜんぜん覚えていらっしゃらなくて（笑）。

村上　ぜんぜん覚えていないですね。片端からぼろぼろ忘れていきます。どこかに引用されている自分の文章を読んでもわからないときが多いです。「へえ、なかなかうまいじゃない」と思って読んでいたら、自分の書いたものだったりして。自慢してるわけじゃないんですけど。

柴田　そういうことの延長として、自作の翻訳を読まれると新鮮な部分というのがあるんですね。

村上　僕が小説を書いている時点では、書いているものは完全に僕という人間に所属しています。そのあいだは作品に対して何をしようと僕の自由だということです。煮ても焼いてもかまわない。しかし書き終わった時点で、その小説は独立したものになると僕は考えているんです。つまり、僕の書いたものは独立したテキストとして世の中に出るんであって、そのテキストにアクセスする資格は万人平等であると。たとえば柴田さんが僕の書いたテキストにアクセスする資格も、皆さんがテキストにアクセスする資格も、僕がそうする資格も、まったく等距離であるというふうに考えているわけです。だから、そういう意味では、僕が自作の英語の翻訳を読む場合、より公平に突き放して読めるし、それはなかなか心地よいことだということになるのかもしれない。

作家にコミットすること

質問者C　先程リズムの話が出てきたんですけれども、そうすると村上さんは翻訳とかをやることによって、音楽をやっているという部分がかなりあるんですか。

村上　うん。僕の文章形成システムはかなり音楽的なんですよね。だから、リズムがない文章というのは読めないいんです。人の文章を読んでも、リズムのない文章ってまずだめですね。同じところをいつまでもぐるぐる読んでいたりする。だから翻訳をするときには、何はともあれ原文のリズムをうまく日本語に移し換えるということを意識します。

質問者C　自分の小説を書くときでもそれは一緒なんですか。小説でも、自分の好きな音楽をやっているということと一緒なんですか。

村上　そうですね。書くときはやはり音楽的に書きますね。だから、コンピュータになってすごく楽になった。キーボードでリズムがとれるから。

質問者C　実際に後ろで音楽は鳴っているんですか。

村上　翻訳をやっているときは、だいたい聴いています。小説を書いているときにはまず音楽は聴かないし、後ろで鳴っていても実際には何も聴いてないですね。知らないうちにCDが終わっていて、二時間たっていたなんてこともあります。

質問者D　最近お訳しになったマイケル・ギルモアの『心臓を貫かれて』なんかだと、モルモン教の歴史が出てきたり、翻訳していくうえでいろんな調べ事があると思うんですけれども、そういうのはお好きですか。

村上　正直言ってそういうのあまり好きじゃないんですよね。だから、わからないことがある場合は、編集者の人に資料を集めてもらうことが多いです。でもこれはプロだからできるんで、最初は自分で何もかもやらなくちゃいけない。

ただこの本に関して言えば、僕はユタに行っていちおう取材みたいなことをやっていますけれども、実際の場所に行ってみるというのはけっこう大事なことです。だからこの本に出てくる場所は、だいたい自分で回ったんです。調べるというのはすごく時間がかかって大変だけど、でも、やる価値はあると思います。どれだけ自分がそれにコミットできるかという度合いになってくるから。

柴田　コミットの仕方ということで言えば、『心臓を貫かれて』はちょっと特別ではないですか。

村上　特別ですよね。ただ、著者には会わなかったけどね。あの本を読んじゃうとちょっと会いづらいところもあるし。しかし一般論として言いまして、著者に会うのは非常にいいことですよね。ぜひお勧めします。翻訳をやっているんですがと言って訪ねて行くと、わりに気楽に会ってくれることが多いんですよ。突然知らない人が来てもまずだめだけど、「実はあなたの作品を日本語に翻訳しているんですけど、会えませんか」と問い合わせると、意外に気持ちよく会ってくれます。逆の立場として、僕もよく会いますよ。たとえば今ポーランド語に翻訳しているんだけど言って、ポーランドの人が来たり、あるいはイスラエルの人が来たり、ノルウェーの人が来たり、そういう場合断ることってまずないです。どんなに忙しくても、会って話をします。まあ僕自身が翻訳者だからということもありますが、でもそれだけじゃないです。

それから、たとえばレイモンド・カーヴァーは僕が一回アメリカに会いに行って、一九八四年に会って話したんですけど、そのあとちょっとして、若くして亡くなってしまった。もちろん死んでしまってからは会えないですから、今生きている作家には機会があればなるべく会っておいたほうがいいと思いますね。必ず役に立つから。ジョン・アーヴィングに会っているし、レイモンド・カーヴァーに会ったでしょ、それからティム・オブライエン、グレイス・ペイリー。

柴田　マイケル・ギルモアに会う気がしなかったというのは、どうしてですか。

村上　この本を訳していると、会うのがつらくなってくるんです。本人がどんなにつらい気持ちで生きてきたか、切々とわかるから、顔を合わせて、何を聞いていいかちょっとわからないですよ。そのぶん、僕もこの本にのめりこんで訳したということなんだろうけど、僕としてはむしろ作者とのあいだに距離を置いておきたいみたいなところがあって……

それから僕が今年訳した『さよならバードランド』の著者である、ビル・クロウというジャズ・ミュージシャンがいるんですが、その人の家に行って、いろいろ話をしました。あれは楽しかったな。庭でビールを飲みながら、ジャズの話を三時間か四時間か、ずっとやってました。あとフィッツジェラルドの子孫、孫とかそういう人にも会って話をしたことがあります。家の壁じゅうにゼルダの絵が飾ってあって、すごいなあと思った。翻訳をするというのはもちろん書斎の作業なんだけれど、それに並行して、外に出て実際のものに触れる、人に会うというのは大きい意味を持つことだと思います。それは僕が経験から言えることですね。

質問者E　村上さんの本は英語にも訳されていますが、以前ソウルで、ちょうど八重洲ブックセンターみたいな本屋へ行ったときに、そこに村上さんの本の韓国語訳が平積みで置いてあったんです。日本の書店と同じように、今月のベストテンみたいな感じで、そのなかで十番以内に村上さんの本が入っているんです。

それで、たとえば英訳については、村上さん自身が翻訳されたものを自分で読むことができるわけですが、でもいまお話しした韓国語の訳であるとか、あるいはポーランド語の訳の場合では、おそらく自分で内容を確認することができないですよね。それは、自分の知らないところで子供ができてしまうみたいな感じじゃないかと思うんですが(笑)。それについてはいかがですか。

村上　そうですね。たとえば韓国語だったら韓国の人に知り合いがいれば、「訳文はどうだった?」と聞くことはできますよね。「よかったよ」と言われれば安心するし。それ以上のことは実際にはできないですけれど。でもいろんな国で訳されているというのは不思議な気持ちがしますよね、本当に。

柴田　基本的には嬉しいですか。

村上　それはもちろん嬉しいですよ。だから、たとえば「フィンランド語に訳すんだけど、序文をくれないか」と言われたときに、なるべく忙しくても書くようにしているんですよね。

柴田 フィンランドの読者に向けてですね。

村上 そういうことも、できればやっていきたいと思います。

雨の日の露天風呂システム

柴田 もう一つうかがいたいことがあるのですが、これは失礼な質問かもしれませんが、僕が人から聞かれていちばんおもしろいと思った質問なのでうかがうのですが、ご自分の翻訳のいちばんの欠点はどこだと思いますか。

村上 語学力です（笑）。

柴田 そんな、身も蓋もないことを言わないでください（笑）。

村上 まあ少しずつ実戦的に上達しているとは思うんだけど、僕は英語を専門に勉強した人間ではなくて、社会に出てからほとんど自力でごりごりと英語を身につけた人間なので、やっぱり正統的な学問としての英語力は不足していますよね。それは柴田さんなんかと話していると、感じます。いろんなところで基礎知識がボコッと抜けていることがあるんですよね。欠落部分というか。楽器で言うと、運指法が正確じゃないみたいなところがある。少しずつその欠落部分を埋めながらやっているんですけど。あとは、不注意。そうは見えないかもしれないけど、本当に不注意でね、センテンスをボコッと抜かしちゃったりね。

柴田　数字をよくまちがえられますよね。百年違ってるとか。

村上　お恥ずかしいです（笑）。

質問者F　『アメリカン・サイコ』を訳された小川高義先生がある小説を訳していて、この小説は日本の誰それの文体で訳すといいんじゃないかと思ったというようなことをおっしゃっていましたが、そういう誘惑をお感じになったことはありますか。この作家は日本ならこういう人だからこの文体で訳してみようかなとか。

村上　いや、それはないですね。僕にはそこまでできないね。つまるところ自分の文体しかないから。別の人の文体を使って訳すというのは、僕にはできないですね。

文体ということで言うと、これはすごく漠然とした表現になるんですけど、いわゆる「身を捨ててこそ浮かぶ瀬もあれ」というやつで、翻訳をする場合、とにかく自分というものを捨てて訳すわけですよ。ところが、自分というのはどうしたって捨てられないんです。だから徹底的に捨てようと思って、それでなおかつ残っているぐらいが、文体としてはちょうどいい感じになるんだね。最初から自分の文体で訳してやろうと思うと、これはちょっとしつこい訳になっちゃう。自分は全部捨てようと思って、捨てきれないで残った部分の上澄みだけでもう十分です。だから、ごく少数の例外を別にすれば、文体のことは考える必要なんてほとんどないんですよ、実は。テキストの文章の響きに耳を澄ませれば、訳文のあり方というのは自然に決まってくるものだと、僕は考えています。

さっきも言ったように、皆さんは自分の文体というものを、意識的にせよ無意識的にせよ持っていますし、それは捨てようと思って簡単に捨てられるものじゃないんですよね。だから、小川さんの言っていることは、僕は読んでいないので、どういうことなのか詳しくはわからないんですけれど、小川さんみたいなプロはともかく、初心者はあんまりそういうことは考える必要はないんじゃないかなという気はします。なんでもそうだけど仕掛けに溺れると、全体の流れを見失うことって多いです。

とにかく相手のテキストのリズムというか、雰囲気というか、温度というか、そういうものを少しでも自分のなかに入れて、それを正確に置き換えようという気持ちがあれば、自分の文体というのはそこに自然にしみ込んでいくものなんですよね。自然さがいちばん大事だと思う。だから、翻訳で自己表現しようというふうに思ってやっている人がいれば、それは僕は間違いだと思う。結果的に自己表現になるかもしれないけれど、翻訳というのは自己表現じゃあないです。自己表現をやりたいなら小説を書けばいいと思う。

質問者G　翻訳も小説もエッセイも数多く書いていらっしゃいますけれど、書くときは、それを絶対に書かなければいけないという切迫感みたいなものがあって、書いているんですか。それとも、書かなくてもいいけれども書いているんですか（笑）。

村上　あのね、小説に関しては切迫感はありますよね。「今これをこのように書く」という厳然とした必然性がなければ、小説って書けないです。少なくとも僕の場合はそうです。来月までに何枚書いてくださいね、と言われてすらすら書けるものではないです。だから僕は注文に応じて小説を書くというのは、原則的にやってないんです。昔から一貫して。

　ただ、エッセイに関しては、けっこういいかげんにほいほいと書いている場合がありますね。書かなくてもいいけど……という場合もあるかもしれない。翻訳はもう年がら年じゅうしこしことやっています。時間があいたら翻訳をする、という感じで。翻訳ってまとめてわあっと一挙にはやれないですよね。ちょっとずつしかできない。だからそういうやり方が合っているんだと思うけど。翻訳者の斎藤英治君は「翻訳は三百六十五歩のマーチだ」という名言を残したけど、あの人の場合はどっちかというと「三百六十六歩」ぐらいですよね。

柴田　ちょっとすみません。みんなよく知らないんだと思います、水前寺清子を（笑）。

村上　だから、僕は自分の小説に関してはかなり集中します。でもたとえば『ねじまき鳥クロニクル』みたいな長いものを書いているときは、一種の放心状態になっちゃうから、三カ月続けて書くとそのあとしばらく休養をとるわけです。休んでいる間は、こつこつと翻訳をやっていることが多いですね。手仕事みたいな感じで。それで自分の中で消耗されたものを埋めていく。それで消耗が埋められて気力が出てくると、またそこで小説にかかることになります。「雨の日の露天風呂」というシステムがありまして、雨の日に露天風呂に入る。長くお湯に入っていて体が温まってくると、お湯から出るじゃない。出て外で雨に打たれていると、だんだん冷えてくるじゃない。

柴田　温泉が小説で、雨が翻訳ですか。

村上　よくわからないけど、とにかく……（笑）。そういうのって一日ずうっとやっていられるんですよね。

柴田　なるほどね。

村上　あるいはチョコレートと塩せんべい（笑）。僕のなかでそういう仕事のパターンというか、システムみたいなのができあがっていて、そのシステムに翻訳という作業はスポッときれいに入っちゃっているんです。なんていうのかな、翻訳していると癒されるという感じがあるんですよね。なぜ癒されるかというと、それは他者のなかに入っていけるからだと思うのね。たとえば僕がフィッツジェラルドという作家をこつこつと訳していると、フィッツジェラルドの考えていることや感じていることや、あるいは彼が生きている世界に、自分がスッと入っていくんですよ。ちょうど空き家に入っていくみたいな感じ。

それはやっぱり、シンパシーというか、エンパシーというか、そういう共感する心があるからですよね。だからテキストとのあいだに、作家とのあいだにそういうものがないと、僕にとっては翻訳ってやっている意味がほとんどないんです。どれだけうまく自然に有効に相手のなかに入っていけるか、相手の考えるのと同じように考え、相手の感じるのと同じように感じられるか、それが重大な問題になってきます。

柴田　村上さんは人前でご自分でお話をなさるより、人の話を聞くほうが好きだということをおっしゃっていましたけど、翻訳をするということと、話を聞くということと、けっこうつながるんじゃないですか。

村上　うん、ほとんど同じですね。小説を書いていると自分のなかの声というのをある程度どんどん外に出していかなくちゃいけないわけですよね。ところが翻訳だと、ほかの人の声のなかにスーッと静かに入っていけるところがあるんです。だからやっぱり、翻訳に向く人と向かない人がいるんですよね。じっと人のヴォイスに耳を澄ませて、それは静かな声なんだけど聞き取れるというか、聞き取ろうという気持ちのある人、聞き取る忍耐力のある人が、翻訳という作業に向いているんだと思います。

質問者H　翻訳家に向いている人と向いていない人がいるというお話ですが、作家でたとえばスッと入っていける人と、なかなかうまくいかない人とか、いるんですか。

村上　いますよね。

質問者H　たとえばどういう人がやりにくいですか。読んでいる時点で、この人はやりやすいとか、やりにくいとか、わかりますか。

村上　これは僕が翻訳してみたいなという小説と、これはあまり翻訳したくないなという小説はたしかにありますよね。それはね、この小説は優れているとか、優れていないとか、好きとか好きじゃないとか、そういう話じゃなくて、自分が個人的にコミットできるかできないかというのが、とても大きいですよね。相性のようなものもありますし。これは素晴らしい小説だけど、僕はあまり翻訳したくない、あるいはできないだろうというケースもたくさんあります。

質問者H　基本的に好きな作家はうまく入っていけるということですか。

村上　基本的には答えはイエスですね。ただ、それほど簡単ではない。たとえば柴田さんがよく訳されているポール・オースターなんて、僕はひとりの小説の読者としては好きだけど、だから自分で彼の作品の翻訳をしたいかというとちょっとね、違うんです。というのは、特に僕の場合は自分が作家だから、その翻訳を通して何か学べるものがあるかどうかというのが、ずいぶん大事な要素になってくるわけです。

僕はジョン・アーヴィングの長篇をひとつ訳したけど、アーヴィングから何かを学びたかったというところは大きかったですね。カーヴァーについてもそうです。それからティム・オブライエン。僕は八〇年代のアメリカでいちばん力を持った作家というのは、オブライエンとアーヴィングとカーヴァーだと思う。僕はその三人から少しでも何かを学びたい、滋養を吸収したいと思って、だからこそ自分で翻訳をしたという部分はあります。

柴田　実際に訳してみて、案外学ぶところがなかったという人はいますか（笑）。

村上　今のところいないですよ、それは。必ずやっぱり何かしら学ぶところはありますね。

柴田　読んだときの実感から、そうは外れないわけですね。

村上　外れないですね。「ああ、こんなのやらなきゃよかった。時間と手間の無駄だった」ということはないです。

質問者I　さっきの「かけがえのなさ」という話ともつながるんですけど、この本を自分が訳すのはいいことなんだ、という自信のようなものはどうやったら持てるのでしょうか。

村上　そうですね。僕が言っているいちばん大事なことというのは、たとえばここにテキストの文章がありますよね。そしてあなたはそのテキストがすごく好きだったとしますよね。そこに重要なセンテンスが一つあって、このセンテンスの本当の意味は俺にしかわからないはずだという、そういう深い思い入れがあったとしますよね。そういうものがあなたの中にあれば、そのほかのいろんな複雑な問題も、いつしか結局は解決していくだろうと、僕は楽天的に信じているわけです。それは自信という言葉とはちょっと違うんだけどね。親密で個人的なトンネルみたいなものが、そのテキストとあなたの間にできれば、それは翻訳という作業が原理的に内包する避けがたい誤差を、うまいかたちで癒してくれるかもしれない。そういうことです。楽天的に過ぎるかもしれないけれど、悲観的な人には翻訳なんてできないんじゃないかというのが、僕の意見です。

うーん、僕は『グレイト・ギャツビー』の最初の部分がものすごく好きなんですよ。あれを読むといつも胸が震えるんだけど、でも今のところはまだ訳せないんです。そろそろ『ギャツビー』を訳そうかなとときどきふと思うんだけど、あの最初の一ページを見ただけで、「あ、まだだめだな」と思って、いつも諦めちゃうのね。でも、あの文章について言えば、僕はかなり深く理解していると思うんですよ。その文章が提示する世界みたいなものをね。でも翻訳というところまでつっこめない。それはたぶん理解しすぎているからだと思うけど。

でもなおかついちばん大事なのは、この文章の骨の髄みたいなのを自分が摑んでいるという確信ですよね。今のところまだそれをうまく訳せないとしても、それは大した問題ではないんです。努力すればいつかできることなんだから。でも、本当の意味をつかんでいるという確信がなければ、どれだけ語学力があっても、どれだけ文章がうまくても、どれだけ努力しても、ほとんどどこにもいかないんじゃないかな。

ビートとうねり

質問者J　翻訳と全く関係なくてすごく下世話な質問ですが、村上さんの本の解読本みたいなものに、読者にはあまり理解できないような遊びを作者がいろいろとしているのではないかということが書かれていて、たとえば『ねじまき鳥クロニクル』で、井戸に縄の梯子を下ろしたのが二十三段で、それは『伊勢物語』と何か関係があるんじゃないかとか、どこかで読んだんですけれども、そういう遊びみたいのを村上さんは実際にやっているんですか。

村上　さっきも言ったように、テキストというのは、それが世の中に出た瞬間から、作者の手を離れた独立したものに変化すると僕は考えているから、たとえ誰にどんな変則的な読み方をされたとしても、原理的なことで言えば、その読み方を正しいとかまちがっているとか断言する権利は、僕にはないんです。それはわかりますよね？　それでその「解読本」に、たとえば『伊勢物語』のなかに二十三段の縄梯子が出てくると書かれているとする。僕はそんなことぜんぜん知りませんけど、もし実際に『伊勢物語』のなかに二十三段の縄梯子が出てくるんだとしたら、それは一種のシンクロニシティみたいなものかもしれないですよね。ひょっとすると大事な偶然の一致なのかもしれない。あるいは、その、単なるこじつけかもしれないけど。

いずれにせよ「そんなことは単なる偶然の一致であって、作者のそもそもの意図とは無関係です」とか、そういう言い方は、僕としてはしたくないんです。もしそういうふうに読みたいと思っている人がいるのなら、それはそれでいいんじゃないですか。読み方として興味があるかと言われたら、僕としてはないとしか言いようがないですけど。

でもいずれにせよ、誰にでも自由に好きなやり方でテキストを読む権利はあると、僕は思います。ひとつの読み方が独善的になったり、ほかの自由な読み方を阻害するような事態が生じないかぎり、それは許されると思います。

質問者K　村上さんの作品をずっと読んでいて、翻訳とかを読んでいてもそうなんですけど、なんか、空き家に入っていくような感覚があって、私はそれがすごく好きなんです。やっぱり常になにか村上さんの作品のなかには、すごく自分の生き方みたいなのがちゃんとあって、それによって、翻訳も含めてトーンがどこか一貫していて、全部「村上春樹の文章」というような感じがするんですが。

村上　そういうふうに言う人がときどきいるんです。翻訳に関しては僕は、さっきも言ったように、自分を捨てて翻訳しているつもりでいるから、僕の文章のトーンがすごく出ていると言われると、首をひねって「そうなのかなあ」としか言いようがない部分があります。やはりひとりの人間が文章を書いているわけだから、どうしても匂いのようなものはついてしまうんでしょうね。うーん、それはそうかもしれない。しかしそれは、繰り返すようだけど、決して意図的なものではないんです。僕自身は僕の翻訳を読み返してみて、そんなに僕のトーンが出ているとは思わないんですけどね。

柴田　一般論として、すごく表面的なところで、言葉の癖とかはありますよね。「しかし」と言わずに「だが」と常に言うとか、それが自分の文でも翻訳でも出るということはありますね。たとえば村上さんの場合、翻訳でもご自分の作品でも、「くぐもった」という言葉が出てくることが非常に多いですね。そういう表面的なレベルで、これはやっぱり村上さんの文章だなと思うことはありますけどね。

村上　そうか、なるほど。それとは逆のケースですが、自分が全く使わない言葉というのはたくさんあるんですよね。皆さんも考えてみるとおもしろいと思うけど。辞書なんかを引いていて、僕が使わない言葉がどれくらいあるかなと思って調べてみたら、ものすごくいっぱいあるのね。生まれてから一度もこれ使ったことがないんじゃないかという言葉がたくさんあるんだ（笑）。たとえば「鑑みて」なんて僕は使ったことないです（笑）。よく使う言葉というのはわかんないけど、使わない言葉というのはたくさんありますね。

質問者L　リズムの話に戻るんですけど、先程からおっしゃられているリズムというのは、本当に音としての聴覚的な音楽的なリズムのことなのか、それとも他にたとえば言葉の質感の整合性とか、統一性とか、そういった比喩的な意味でのリズムというものがあるんですか。

村上　一つは非常にフィジカルな実際的なリズムです。いわゆるビートですよね。僕は若い頃ずっとジャズの仕事をしていたんで、ロックも好きだけど、要するにビートが身体にしみついているんですよね。だからビートがない文章って、うまく読めないんです。それともう一つはうねりですね。ビートよりもっと大きいサイクルの、こういう（と手を大きくひらひらさせる）うねり。このビートとうねりがない文章って、人はなかなか読まないんですよ。いくら綺麗な言葉を綺麗に並べてみても、ビートとうねりがないと、文章がうまく呼吸しないから、かなり読みづらいです。

それでビートというのは、意識すれば身につけられるんです。ただ、うねりに関して言えば、これはすごく難しいです。ビートとうねりを一緒につけられるようになれば、もうプロの文章家になれます。ただこのうねりばかりは、身体で覚えるしかないですね。いっぱい文章を書いて、身体で覚えるしかない。それでも身につかない人も多いかもしれない。でも、それができるようになったらわかるんです。クロールのローリングが身体ではっと理解できるのと同じで、「あっ、そうか、これだったのか」というふうにわかるんですよ。それはいちいち音読しなくてもわかります。自分で文章を読み返してみると、こういう（手をひらひら）うねりが感じられるんですよね。多少下手な文章でもそれがあれば、人はすすんで読んでくれます。

柴田　僕はこの授業で毎回全員に訳してもらって、それを読むわけですけど、ビートは赤ペンである程度直せる。ここを一気に続けないで点を打つとか、そういうかたちで。全体のうねりというのは、どこをどう直すというレベルではないですね。

村上　そうですね。ビートだったら標語だってあるわけだからね。「飛び出すな、車は急に止まれない」というのだって、ビートはたしかにあるからね。ただ何も訴えないですよね（笑）。良い文章に同時に必要なものはもっと深いうねりです。良い文章というのは、人を感心させる文章ではなくて、人の襟首をつかんで物理的に中に引きずり込めるような文章だと僕は思っています。暴力的になる必要はぜんぜんないですけど。

柴田　今日はおもしろいお話をありがとうございました。

フォーラム2　翻訳学校の生徒たちと

一九九九年十一月、文藝春秋西館ホールで、バベル翻訳・外語学院（現 BABEL UNIVERSITY）の学生を前に、村上・柴田の二回目の翻訳フォーラムが行なわれた。受講者は約百名、一カ月前に告示し、参加を呼びかけた。大多数は翻訳者をめざす若い人々である。

「僕」と「私」

柴田　今晩は、柴田元幸です。よろしくお願いします。きょうは我々が一方的にしゃべるのではなくて、皆さんのほうからいろいろご質問をいただいて、それにお答えするというかたちで進めていきたいと思っています。世の中に翻訳についての本とか雑誌とかは数多く出ていて、僕もそういうのをときどきのぞいてみるんですけれども、読んでいるとなんか、だんだん暗くなるんですよね。何と言うか、人生の道を説かれているような気がしてきて。翻訳をやるためには日頃からこういうことをやってなくちゃいけない、こういうことも知らなくちゃいけない、こういう辞書やソフトも持ってなくちゃいけないとか、そういう話がいっぱい書いてあって、それが自分に当てはまるかと考えると、そんなこと日頃からやってないし、知らないし、持ってないし、僕は絶対翻訳者になれないいんじゃないかっていう気がする（笑）。世間的にはいちおう教師兼翻訳者ということになっているんだけどなと思って、不思議な気持ちになります。そういうところでいろいろ言われているのは、基本的に翻訳っていうのはこうしなくちゃいけないとか、こうすべきだとか、やっぱりそういう「ねばならぬ」式の発言がどうしても多いんですね。まあ、プラクティカルな翻訳指南ということであれば仕方ないのかもしれないと思うんですけど、もう少し翻訳のおもしろいところとか、楽しいところとかを取り上げてお話ができればいいなと思っています。

村上　今晩は、村上です。僕はふだんあまり人前に出てしゃべることはないんですが、でも、翻訳のことになるとこういうふうにまめに出てきちゃうんです。小説の書き方なんて話題になると絶対出てこないんですけれど（笑）。

で、どうして翻訳のことになるとこんなに熱心になれるのかと言いますと、結局、簡単な話で、翻訳するのが好きなんだということに尽きると思うんですよね。小説を書くのはもちろん本職であるわけで、これが僕にとっては生命線なわけですが、それだけに「好き」とかそういう言葉では簡単に表現できない部分があるし、またいつでもどこでもすらすら書けるというものでもない。それなりの覚悟を決めて、正しいときを選んで、「さあやらねば」という勢いと集中がないとできません。でも翻訳というのは、違うんです。放っておいても、ちょっとでも暇があったら机に向かって、好きですらすらやっちゃうようなところがあるんです。

どうしてこんなに翻訳という作業が好きなのか、あらためて考えてみると、自分でももうひとつよくわからないんですね。皆さんも翻訳をやろうというふうに志しておられる方だからたぶん、翻訳することが好きなんだろうと単純に推察するわけですが、いま柴田さんがおっしゃったように、やっぱり「楽しんで好きでやる」というのがいちばん大事なことだと思うし、翻訳道とかそういうのは僕もあまり好きじゃないです。柴田さんと話しているといつも、「ああ、この人は根っから翻訳が好きなんだなあ」という感じがひしひしと伝わってきて、楽しいんです。翻訳なんて手間のかかる地味な仕事だから、ほんとに好きじゃないとできないです。好きだというのは努力が苦にならないということでもあるから。

『熊を放つ』っていうジョン・アーヴィングの作品を訳したのは、何年前でしたっけね？

柴田　えーっと、もう十年ぐらい……もっと前ですね。僕が初めて翻訳を単独で出したのが十年前で、その一、二年前ですね。八七年とかそのぐらいですか（一九八六年　中央公論社刊）。

村上　これはなにしろ長い小説だし、僕もまだ長篇翻訳ってやった経験がなかったので、僕が全部ざっと訳したあと、柴田さんと斎藤英治君とかでチェックチームを組んでもらって、みんなでディスカッションしながら仕上げていったんです。それでそれ以来のおつきあいなんですが、僕も翻訳は相当好きだけど、柴田さんぐらい好きな人はちょっといないんじゃないかと（笑）、思います。だから、きょうはそういうラインでわりに気軽に、楽しく翻訳についてお話ができればというふうに思ってます。

柴田　というわけです。もうここからは、質問がある方はどんどん手を挙げていただいて、その質問にお答えするというかたちにします。翻訳の楽しさについて語りたいと申し上げましたが、だからといって翻訳のたいへんなところは何ですかとか、つらいことは何ですかとか、そういう質問が駄目ということではもちろんありません。あるいは翻訳プロパーのことではなく、村上さんはもちろん作家でもいらっしゃるわけだから、創作との関係とか、いろいろ周りのこととつなげて聞いてくださってもけっこうです。

質問者A　日本語に翻訳する場合に、一人称の表記が問題になると思うんです。つまり「俺」でいくか「私」でいくか、あるいは女性の場合「私」「あたし」、いろいろあるんですけど、一人称の何という言葉で訳すかというのは大きな事項になりますか。それとも、そんなのたいしたことじゃないんでしょうか。

原書で読んでいる段階から、これはもう「俺」でいこうとか、そういうふうに決まるものなのか、それとも訳しながら変わるのか。それぞれお二人のご自身の文体があると思うんですけど、それにそった一人称のほうが付けやすいのか、それともそういうのはあまり関係ないな、原書次第だなというものなのでしょうか。

村上　一人称の選択でいちばん困るのが、僕の場合、レイモンド・カーヴァーですね。

レイモンド・カーヴァーの小説における一人称はだいたいにおいて、「私」にするか「僕」にするかです。「俺」はないと思うんですよね。もちろん語りの部分で「俺は――」というのはありますけれど、地の文章では「私」か「僕」です。で、正直言ってどっちでもいいんですよね。たとえば、少年時代のこと、あるいは若い時代のことだと「僕」のほうがふさわしい場合が多いわけだけれども、少し中年になってくると「僕」ではなじまない部分もあって、だいたい「私」になります。でも短篇集一冊全部が「私」になっちゃうと、これはこれでけっこう疲れます。だから、「僕」的な要素が少しでもあれば、これは「僕」にふっちゃおう、やっぱりこれは「私」のほうにふるべきだなとか、そのたびに判断します。そういうのはいくつもやっていれば、だいたい決まって来ます。一冊に十の短篇が入っていたら、七は「私」で三が「僕」だなとかね。そのへんはやはり勘です。深く考えだすと、かえってわからなくなっちゃう。

柴田　そうすると、ご自分の文体と合ったものがやりやすい、やりにくいということはあまり関係ない。

村上　あまり関係ないですね。すべてはテキストが規定するし、僕はその流れに乗るだけだから。「私」でも「僕」でも、僕自身はどっちでもいいんです。どっちがやりやすいとか、そういうのはありません。

柴田　僕も基本的にはその作品自体のトーン、あるいはそのキャラクターのトーンに従っているつもりですが、案外、何か他の要素との兼ね合いで自動的に決まっちゃうことも多いですね。たとえば男の語り手がいて、その語り手はひとまず「私」に決めているとします。で、そこに女性のキャラクターが出てきて、その人にどうしゃべらせるかを決めるうえで、「私」ではなく「あたし」にしたほうが、どの科白を誰がしゃべっているかが明確になるので、どっちでもいい場合だったら「あたし」にするとかね。あるいはこの女性は「私」がふさわしいから男のほうは

「僕」にしちゃうとか。

それから、いま村上さんが、登場人物が年取ってくるとだんだん「僕」では合わなくなるというふうにおっしゃったので思い出したんですけど、スティーヴ・エリクソンの『黒い時計の旅』っていうのを訳したときに、僕は語り手は「俺」だと思ったんですね。で、編集者は「私」だと言ったわけです。それでどうしようかっていって、語り手がまだ若い前半は「俺」で、年を取った後半は「私」にしました(笑)。で、これはちょうど真ん中の時点で、第二次大戦があって原爆が落ちると、そこでもう世界が明らかに変わるので、そういうすごく一見人工的なやり方でも上手くいった。

まあ、これはべつに編集者と僕との力関係が五分五分だったとかそういうことではなくって(笑)、もう本当にテキストの要請からしてたまたまそうやったらすごく上手くいったのであって、僕もあまりその、「私」にするか何にするかということで迷ったりはしないなあ。それで悩むというよりはむしろ、日本語は代名詞をあんまり使わないから、本当は「僕」も「私」も何も言いたくないということも多くて、なるべく主語抜きで書きたいけれども、やっぱり前後の関係である程度、主語を入れないと意味がわからなくなるというほうが問題ですね。

前に村上さんに大学に来ていただいたときにもうかがったんですけれども、ご自分の翻訳の最大の問題点は何だと思いますか。

村上　最大の問題点ですか。それは語学力ですね。

柴田　やっぱり！　やっぱりそれはあれですね、前あの、とここで僕が興奮することはないか（笑）。覚えてらっしゃいます、その質問？

村上　いや、覚えてないです。

柴田　あっ、そうですか。もう何年も前の話なのでたぶんご記憶でないだろうと思ったんで、もう一回おうかがいしてみたんですけど、やっぱり変わってないですね。

村上　それしかないですね。語学力。それについてはもう、自信を持って言えます（笑）。

柴田　皆さんにご説明しますと、僕は大学で翻訳のワークショップのようなものをやっていて、あるとき村上さんにゲストに来ていただいてお話をうかがったんです。受講者は大学の一年生、二年生、まあ、東大生だからみんな自分ではけっこう英語が読めると思っているわけですね。でも実は、英文和訳のレベルでもずいぶん怪しいし、英語のトーンなんかもほとんど聞き取れていないとか、そういうこともあって広い意味での語学力はまだまだ足りないわけですね。で、君たちは東大に入ったから語学力があると思っているみたいだけど、まだ足りないんだよと僕は言っているんです。それでゲストに村上さんに来ていただいて、問題点は何ですかとうかがったら、語学力ですねってあっさりお答えになる。それで教育的にはすごく困るわけですね（笑）。

村上　翻訳に入ってくる人には、小説が好きだから翻訳をやりたいという方向から来る人と、とにかく英語が好きで得意で、だから英語を使う仕事をしたい、その延長線上で翻訳をやりたいという人と、二種類あると思うんです。それで僕は一〇〇パーセント前のほう、「小説が好きだから翻訳をやりたい」というタイプなんです。

僕は大学でも演劇科っていうところに行ってました。本当は映画が作りたかったんです。で、そればっかりやっていました。つまり、大学に出ないで映画館ばかり行ってたんだよね（笑）。そんなわけで、英語の勉強って専門的にしたことは一度もないんです。僕は小説を読むのが好きだから、英語の小説はもう高校時代からどんどん読んでたんだけど、それは非常に非常に乱暴な読み方で、デリカシーとか正確さとかそんなものはかけらもないという読み方でした。頭からぼりぼり貪り食うみたいな読み方です。でもとにかく手当たり次第に頭から尻尾まで読みまくった。高校生のときは英語の成績だってそんなに良くなかったです、正直な話。勉強といっても自分の好きなことしかやらなかったから。

それから、大学にいる間になんか結婚して、店を始めちゃって、毎日朝から晩まで働いて、もちろん勉強する暇なんてまったくありません。それでも英語の本を読むのが好きで、暇をみつけては自分で少しずつ好きな小説を訳していたんです。そんなわけだから、語学力に関してはもうぜんぜん自信がないですね。アカデミックな観点からいえば、欠落だらけかもしれない。

ただ僕が思うのは、語学力というのは長く続けてやっているうちに少しずつついてくるところはありますよね。技術的な部分が大きいから。でも、小説的なセンス、感覚、あるいは物語に対する理解力というのは、やっていればそのうちについてきますよというものではないような気がします。これればかりは、ある程度もって生まれたものがあります。だからある意味では、多少語学力には問題があったとしても、小説がとにかく好きで入ったという人のほうが、翻訳家として伸びる可能性が大きいんじゃないかと、僕は個人的に思うんです。異論はあるかもしれませんが。

柴田　僕もそのお話をうかがったあと考えたんですけど、語学力というのは他人がチェックできて、人が直せることだけれど、作品に対する愛情とかそういうものは、他人には代わりができないものだから、そっちのほうが大事だろうというふうに思いました。

村上　僕の場合は、スコット・フィッツジェラルドの作品が好きだったんです。でもその頃はフィッツジェラルドの翻訳はあまり数多く出てなかった。だから僕が自分でフィッツジェラルドを翻訳してみたいという思いがまず最初にありまして、そういう意味では目的意識はとてもはっきりしていたんです。だから「英語がある程度できて、翻訳をやってみたいんですけど、何をどうやればいいでしょう？」というような人がいると、僕としてはいちばん困っちゃうんですよね。出発点がぜんぜん違うから。なんとも言いようがない。

柴田　読むことだけでは自己完結しないで、訳すというところまでいきたいっていうのは、必ずしも誰でもそうではないですよね。村上さんがフィッツジェラルドならフィッツジェラルドをただ読むだけではなくて、訳したいというところに向かったのは、何か理由があったんでしょうか。

村上　結局、自分で文章を解体して、どうすればこういう素晴らしい文章を書けるのかということを、僕なりに解明したいという気持ちがあったんだと思います。英語の原文を日本語に置き換える作業を通して、何かそういう秘密のようなものを探り出したかったのかな。自分で実際に手を動かさないことにはわからないこと、身につかないことってありますよね。たとえば写経と同じようなもので。

僕が翻訳にいちばん最初に興味を持ったのは、カポーティなんですよね。高校時代に英文和訳の参考書にカポーティの"The Headless Hawk"（無頭の鷹）の冒頭の部分がたまたま入っていまして、それを受験勉強のひとつとして和訳したんですが、あまりにもその文章が見事なので、ひっくりかえるくらい感動したんです。でもそのときも、ただ読んで「これは素晴らしい！」と感動しただけではないんですよね。それを日本語に移し換えることによって、自分も主体的にその素晴らしさに参加しているというたしかな手応えがあった。カポーティもフィッツジェラルドにしても、非常に文章が精緻ですよね。美しくて、情感があって、確固としたスタイルがあって、そういうものを自分の手で日本語に移し換えることで、なんだか心が洗われるような喜びを感じることができた。だから当時ブローティガンとかヴォネガットとかもよく読んでいたんだけど、そういうものを翻訳したいというふうには思わなかったですね。僕としては、もっと複雑で精緻な文章を解きあかすことに深い興味を感じていたんです。ブローティガン、ヴォネガット、読むのはもちろん大好きだったですけど。

柴田　そうやっていい文章のいわばメカニズムを解明してみたいというような関心もおありだったわけですけど、そのときにはやっぱり、自分がいずれ書くっていうことは念頭にあったんですか。それはない？

村上　それはありません。そういうのが出てきたのは、もっとずっとあとのことです。僕としては、カポーティとかフィッツジェラルドの文章があまりにも美しくて素晴らしいから、そういうものを目の前にして、自分が小説を書くというようなことは、正直言って考えもしなかったです。おそれ多いという気持ちが強かったから。こんな文章書けるわけないよな、という感じで。

僕としてはむしろ、そういう人たちの見事な文章に何らかのかたちで「参加したい」という気持ちのほうが強かったですね。創作主体としてではなく、ただ関わるものとして。だから僕は自分でこつこつと翻訳を始めたんです。翻訳家になりたいとは思わなかったし、またなれるとも思わなかったけど、それとはべつに翻訳という作業を自分なりにやりたいという気持ちはわりに強くありました。趣味というか、生活の一部としてやりたいという気持ちですね。

柴田　作家になりたいという以前に、それよりも前に、翻訳をしたいという気持ちがあった。

村上　そうです。柴田さんは翻訳で何がやりたかったんですか?

柴田　いや、もう、なんか成り行きでやってるんですけどね（笑）。あのう……仕事として翻訳をしたいと思ったことはあるのかな。ええっと、僕はその、英文科に行って、大学院に行って、要するに、学者になろうとしてもがいていて、なかなか上手くいかなかったわけです。うーんと、その頃は現代小説に関しては、とにかくポストモダン小説の全盛期だからもう、ほとんど翻訳不可能の作品が多いんですよね。まあ、実はその不可能だと思ってたのが、その後、けっこう、野崎孝さんのジョン・バース『酔いどれ草の仲買人』みたいに超名訳で出てたりするんですけども。で、それより前の世代の作家たちっていうのは、まあ僕が怠慢であまり知らなかったからかもしれないけれども、いい作家の作品ってだいたい訳されていて、とにかく翻訳っていう世界に少なくとも職業的に自分が入っていく余地はないだろうと思ったし……だから、自分が翻訳をするような立場になれるとはあまり思わなかった。

村上　思わなかったんですか。

柴田　ぜんぜん思わなかった。それであのう、『熊を放つ』の訳文チェックとかをやらせていただいて、そういうところからだんだんこう、編集者の方々とかコネクションが出てきて、それで「何かやりません?」っていうふうな話になったりして、最初は僕も暇だし、好きだから何でも引き受けるわけですね。そうこうしているうちに何かいまに至っているという感じで、だからあまりその、純粋な動機みたいなものはないんですよね。

he said she said

質問者B　あの、語学力というのは私にとっても永遠のテーマなんですけれども、私が翻訳の勉強を始めた頃に、とにかく日本人の作家が日本語の文章を書いたように、日本の小説を書いたように自然な美しい日本語に訳しなさいというふうに先生に教わりました。で、まあ、そういうのを目指して、そういうふうに思ってきたわけなんですけど、最近思いますのは、説明的な文章はいいんですけれども、たとえば、科白なんかが並んだ文章ですと、英米圏の小説では必ず一つの科白のど真ん中に「彼はこう言った」とか「彼はこう叫んだ」とか、科白がちゃんと完結しない、ど真ん中をぶっちぎって二つに分けちゃうというような手法が多いですよね。それを、まあ、原文に忠実にというふうに考えて訳していくと、どうしても翻訳調の感じが、すごく自分ではするんですけれども。あと、逆に日本の小説家の方で、本当に純然たる翻訳調で日本の小説を書いてらして、それはそれでけっこうおもしろいというふうに感じたこともあるんですが、お二人の先生方は翻訳なり小説を書かれるときに、そういう翻訳臭さを消そうというふうに考えてらっしゃるのか、エスカレートしてそれを生かそうと考えてらっしゃるのか、そのへんのお話を聞きたいと思います。

柴田　要するに、"I have to go," he said. "They are waiting for me." というような形ですね。

村上　これについていちばん僕が苦労したのは、やはりレイモンド・カーヴァーの初期の作品です。もう無茶苦茶なんですよね。he said が一つの文章に三回あったりする。「he said 何とか何とか、何とか何とか he said、he said 何とか何とか――」これはもちろんわざとやっているんですよ。どうしてわざとこんなことをやるかというと、普通の文章スタイルを意図的にぶち壊そうとしているわけですね。これはあとで知ったことなんですが、レイモンド・カーヴァーのその頃の編集者だったゴードン・リッシュという人が、本人もわりに前衛的な小説を書く人だったんで、強権をふるってカーヴァーが書いた普通の文章をズタズタに切って、he said he said he saidって全部勝手に書き直しちゃったみたいなんです。でもその頃はそういう事情を知りませんし、カーヴァー自身がこういうふうに書いたと思うから、なんとかその文体を忠実に再生しようとしたんだけど、日本語にするともう収拾不可能になってしまう。だから適当に止めちゃったんですよ。僕の判断で、he saidがひとつのセンテンスに三つあっても、場合によっては一つにしちゃいました。それでもカーヴァーの独自の文体はきちんと伝わると思ったから。それで良かったと僕は今でも思っています。いま原文を読み返してみても、やはりギミックっぽいなと感じるし。

結局、作者の意図がどうであれ、日本語にしたら読む人は違和感を感じると思ったら、翻訳者は自分の判断で変えていいんじゃないかと、僕は考えています。もちろん何だって読みやすいように勝手に変えていいということではないけれど、もし自分の判断力に責任が持てるのなら、原文に官僚的に忠実になる必要はないんじゃないかということです。

ただ、さっきあなたがおっしゃった「日本人の作家が日本語の文章を書いたように、日本の小説を書いたように自然な美しい日本語に訳しなさい」というアドバイスについてですが、そんなことは不可能ですよね。僕はそう思います。そんなこと考えていたら、怖くってとても翻訳なんてできないですよ。僕は小説家で、日本語で小説を書くことを本職にしていますが、日本語の小説を書くように翻訳するなんてことはできっこないです。とにかくそういう考えは全部捨てて、美しい自然な日本語を書こうみたいなものは捨てて、原作者の心の動きを、息をひそめてただじっと追うしかないです。もっと極端に言えば、翻訳とはエゴみたいなのを捨てることだと、僕は思うんです。うまくエゴが捨てられると、忠実でありながら、しかも官僚的にはならない自然な翻訳が結果的にできるはずだと思います。

柴田　同感ですね。小説が自然な美しい日本語で書かれている、という前提には抵抗を覚えます。名文句も陳腐な紋切り型もごっちゃ混ぜになっているのが小説だから。岸本佐知子さんにやっぱり大学に来ていただいたときに、「原文がゴツゴツしてるのに、サーッとカンナをかけたみたいな一見きれいな日本語になってしまうのはまずい」とおっしゃるのを聞いて、まったくそのとおりだと思いましたね。

で、he said ですけど、僕の場合原則的には、he said があったら「彼は言った」とやってみて、それでやっぱり、何ていうんだろう、原文にはない違和感が翻訳で出てしまったら、そこで何とかするということですね。これはでもやっぱり、読者一人一人によって、それに時代によっても違和感があるかないかはずいぶん違ってくると思うから、正解はないですね。

村上　僕、自分の小説でもそれをやっちゃうんですよ。――「そうだね」と彼は言った。「そうかもしれない」

柴田　たとえば吉田健一だと翻訳でもそういう形は使わない。一方、村上さんはご自分の小説でも使われる（笑）。だからもう、何が正しいというのはないんだと思います、本当に。

僕が意図的に「と彼は言った」というのを極力残したのが、これは共訳ですけど、ジョン・アーヴィングの『ウォーターメソッドマン』を翻訳したときです。要するに、あの小説は間延びしているから、その間延びした感じが味だから、会話なんかもあまりスピーディーでは困るんですよね。で、むしろその間延び感を残すために、意図的に残しました。

あとですね、英語は日本語よりも he said や she said が多いのは、単純に男言葉とか女言葉とか、大人言葉、子供言葉とかの差が少ないから、誰が言っているかわかりにくいわけですよ。だからあれ入れなきゃいけないんだけど、日本語の場合にはそのしゃべらせ方、さっきのそれこそ「私」「あたし」とか「俺」とかである程度わかるから、必ずしも直訳的に残す必要はないわけで、うーんと……そうか、そうするとさっき僕、原則は残すって言ったけど、それとは違うことになるな。もう自己矛盾を来《きた》してしまってますけど、えー、とりあえず臨機応変にやらなきゃいけないことが大事なんですね（笑）。

質問者C　いまのお話ともだいぶ関係があるんですけれども、以前、柴田先生の講演会にうかがいましたときに、訳のテンス（時制）について先生は極力原文のままがいいとおっしゃって、現在形の小説……全部現在形で書かれている小説がもしあったら、自分は全部現在形で訳すけれども、いっぽう村上さんは全部現在形では小説の文章にならないという考えだと確かおっしゃったと思うんですけれども。

柴田　たとえば、カーヴァーなんかは全部現在形で語ったりしてますよね。

村上　してますね。

柴田　で、それを村上さんはどういうふうに処理されてますか。
村上　どうだったっけ、よく覚えていないけど、あれはたしかきっちりと現在形で訳したと思いますよ。ただ過去形で全部やっている作品を訳すときには、基本的には現在形をいくらか混ぜます。そうしないと、「何とかした」「何とかだった」で終わっちゃって、全部「――た」になっちゃうから、どうしても文章がこちこちしてしまうんですね。会話である程度カバーはできますが、それでもある程度は現在形を混ぜないと、日本語の文章として読みづらくなってしまいます。でも現在形の場合は、そういう響きの制約はないから、現在形で全部訳しちゃうんじゃないかな。
柴田　と、ご本人はおっしゃってますが、実はけっこう混じってますよ、過去形（笑）。まあそれだけ、いちいち計算しない、生理的な選択なんですね。
　で、どう言ったらいいのかな、僕は、これはもう全く好みの問題なんだけど、現在形が並ぶ文章ってわりと好きなんですよ。逆に過去形で「何々した」って並ぶ文章もすごく好きなんですね。というか、そういう訳文もね。で、その中に現在形を適度に入れて日本語らしくするっていうのはわかるんだけれども、それ、村上さんがなさるとすごく自然なんだけど、でも、それって翻訳学校でみんな教わるでしょう。
村上　あっ、そうなんですか。
柴田　そうなんですよ（笑）。だから、いかにもこのへんでなんかこう計算して現在形入れてるなっていう感じの訳文にお目にかかったりすると、それはちょっと違うんじゃないかなって違和感を覚えることが僕は多くて、むしろ素直に過去形を並べるなかで、なにかこう、そのなかで単調に陥らないような工夫をすべきじゃないかって思うんですよ。現在形を混ぜるとそれだけ「登場人物の身になる」わけだから、語り手が登場人物に対してアイロニカルな距離を保っている文章なんかでは、実はまずいですよ。

村上　僕は思うんだけど、創作の文章にせよ、翻訳の文章にせよ、文章にとっていちばん大事なのは、たぶんリズムなんですよね。僕が現在形と過去形をある程度混在させるというのも、あくまでリズムを作っていくためです。原文ではひとつの文章を二つに分けたり、原文では二つの文章をひとつにまとめたりするのも、つまるところリズムのためです。そういうリズムが総合的に絡みあってこないと、その文章は「とん・とん・とん」という単調なリズムになっちゃうわけですね。「とん・とん・とん」だと人はなかなか読んでくれないです。「トン・とん・トン」というリズムが出てくると、それは人が読む文章になる。

文章っていうのは人を次に進めなくちゃいけないから、前のめりにならなくちゃいけないんですよ。どうしたら前のめりになるかというと、やっぱりリズムがなくちゃいけない。音楽と同じなんです。だから、たとえば、翻訳学校でこうこうしてこうしなさいというのは、言うなれば技術伝授というか、一種の形式にすぎないわけで、それを生命あるものとして自分なりにどういうふうに文章の中に実在化させていくかというのは、それは一人一人のセンスの問題になっていきます。まあ現実的な状況を考えれば、機械的な「技術伝授」というのもある程度必要だとは思うんですけど。僕らが話しているのは、そのあとの段階の問題であって。

柴田　僕は『熊を放つ』以来、村上さんの訳文の英文解釈レベルでのチェックということをさせていただいて、それで村上さんの翻訳の方法というのを、もうたっぷり盗ませていただいてるわけです。ほとんどお金もらって勉強させてもらっているようなものなんですけれども、やっぱりいちばん盗めないのは、その前のめりになる文章の勢い、力ですね。これは天性のものですね、って言っちゃうと、もうなにか、絶望しなさいと言っているようなものなんですけど（笑）。

村上　音楽でいう、いわゆるグルーヴ感というやつですね。これはね、本当に簡単に言ってしまうと、ある人にはあるし、ない人にはないんです。

柴田　それを言っちゃおしまい（笑）。

村上　ただ、ある程度勉強すれば身につくはずです。それが結果的に商品になるかどうか、そこまでは僕にはわかりませんけど。

それから言うまでもないことですが、柴田さんの文体と僕の文体っていうのはもともと違いますよね。方向性も質も。だから、柴田さんの持っているグルーヴ感と僕のグルーヴ感は微妙に違うんですよ。だからポール・オースターの翻訳を、柴田さんのを読んでると、僕にはこういうふうに訳せないなと思います。本来の文体が違うから。きっと柴田さんのそういう感覚というのは、ポール・オースターみたいな作品にすごく上手くコミットするんだと思うんですね。だから、自分に合った作家、自分に合った作品を訳していると、そういう感覚というのは生まれやすいはずだと僕は思います。訳しながらそういう感覚を学んで、身につけていくこともできるし。自分に合わないものを訳すのって、そりゃ難しいですよね。

柴田　そうですね。最初の頃は、僕は暇だったから何でも引き受けましたけど、それであんまり気に入らない文章を訳すと、やっぱり雑になるんですよね。ここでこういうことが言われているんだけれども、たとえばこの形容詞はどのぐらいの強さで訳すかとか、そういうときにやっぱり、愛情をもってないともう、「ああ、だいたいこのへんでいいや」みたいなふうになって。それがこう、思い入れのある文章だと、これはこの日本語ではちょっと強すぎるし、これでは弱すぎるしとか、そのへんのことをしつこく考える気になるんですね。人間ができていればどんなにいやな文章でもそうやって真面目に考えるかもしれないけど（笑）、やっぱり波長が合うほうが、楽に上手く訳せる、人と比べるんじゃなくて自分のなかではね、楽に、かつ上手く訳せる気がしますね。

村上　テキストやその作家とのあいだに共感状態みたいなのが生まれると、すごくいいんですよね。だから、翻訳をやりたいという人に僕がいつも言っているのは、とにかく自分の好きな作家と好きなテキストを見つけて、一生懸命それをやったらどうですかということです。

まあ、そう簡単にいかなくて、仕事になるとやりたくないものもやらなくちゃいけないかもしれないけど、それとは別に、自分はこれがやりたいんだというのがやっぱりないと難しいと僕は思います。その共感状態を作りだして、それを維持していくというのは、すごく大事なことだと思うんですけどね。

テキストが全て

質問者D　作家によって雰囲気とかがだいぶ違ってくると思うんで、やっぱり雰囲気を摑まないと、その作者の意図を追ったことにはならないと思うんですけれども、作品の背景とかそういうものの勉強というか、何か調べる心がけというか、具体的にこだわっていることとかはありますか。

柴田　おっしゃっている雰囲気というのは、当時の歴史的事実とか、そういうことでしょうか。たとえば、五〇年代ニューヨークの雰囲気とか、そういう意味ですか？

質問者D　いえ、というか、作品の持つ雰囲気をとらえるために、作家の背景ですとかを調べることがありますか。

村上　それには二つの考え方があると思います。一つは、テキストがいちばん大事であるということ。テキストのみを読みこむことによって、その作家像とかいろんなものを自分の想像力のなかで再構築していく。もう一つは実際的な調査を行なって、この作家はこういう人で、こういう人生を送って、というようなバックグラウンドを頭に入れて、それでその作品のトーンを考証的に割り出していく。両方の方法があるし、僕はべつにどっちでもいいと思うんですよ。どっちがより正しいとは言えないと思う。で、僕は両方やります。全然わけのわからない人の短篇をぽっと訳しちゃったりすることもあります。それでも僕はとくに問題ないと思いますけどね。このテキストが全てなんだと思えば、それが全てなんだから。と僕は思うんですよね。

柴田　賛成ですね。レイモンド・カーヴァーのフランス語の翻訳者のエピソードがあって、その翻訳者は、カーヴァーという人はものすごくシニカルな作者だと考えて、訳すにあたってもシニカルで、アイロニカルで、すごくこう、辛辣なところが出るように出るように訳したんですね。で、そのあと、カーヴァーがまだ生きていた頃で、その翻訳者はカーヴァーに会いました。会うと、とっても温かくていい人で、皮肉のひの字もない。そこで全部その訳のトーンを変えたっていうんですすね。それがほとんど美談のように、カーヴァーがいい人だったたっていうところがポイントである美談のように語られたりするんですけれども、まあ、いい人だったたっていうのはそのとおりでしょうけど、翻訳者の姿勢としては全くまちがっていると僕は思います。そのテキスト自体と、その作家の人柄とどっちが大事かといったらもう、テキストに決まっているわけですね。訳者の仕事というのは、そのテキストを一読者として読んだときの感覚をいかに別の言語に再生するかだから、その紙の上の文字がどう聞こえるかが全てであって、極端なことを言うと、作家の背景なんて関係ないと思ってもいいと思うんです。ただ、その背景を知っていると、二つ可能性があってどっちかを選ぶというときに選びやすいとか、そういうことはもちろんあるので、知って損にならないことは多いんですけど、でも、とにかくその、作家が温かい人だから作品も温かく訳すというのはぜんぜん違うと思うんですね。

村上　それはテキストの読み込みが浅いということでしょう。

柴田　ええ。その人の読み方が雑だということを露呈しているだけだと思います。

村上　僕もそう思います。だって、カーヴァーの作品を読めば、この人が本当は温かい人だというのがわかるものね。

柴田　そうですね。

質問者D　テキストの、作家のバックグラウンドだけではなくて、たとえば、テキストからどういう感じを受けるかというのは、自分だけではもちろん主観じゃないですか。ですので、その作家がどういう人かというだけではなくて、もうちょっと客観的にそのテキストを捉えられるような、文字だけではなくて、その背景というのは大事なんじゃないでしょうか。

柴田　うーんと……それはたとえば、その小説の中で固有名詞、なんでもいいんですけど、車の名前が出てきたとして、この車が高級車なのか安い車なのかで話が変わってくるなと思ったら、それはどっちなのか調べる必要がありますよね。そういうことはもちろん調べます。あるいはたとえば、レストランに入って、このメニューで何ドルだとかあって、その何ドルというのが高いか安いかで、その小説、そのシーンで違いが出てくると思えば、やっぱりその時代の物価を調べたりとか、そういうようなことも必要になるでしょうね。うーん、でも、そういうのって、そんなに大きな部分ではないような気が僕はするんですよね。そりゃ調べますよ、調べるけど、そういうことをコツコツやるのが翻訳道だ（笑）みたいな言い方はしたくない。いちばん大事なところはテキストに書いてなければ嘘だ、というか、テキストから読み込めなければ嘘だろうという気はするんですよね。

村上 作家にとってはテキストが全てなんですよね。たとえば、僕が何かを書いて、読んだ人が、僕がいつ、どこで生まれて、どんなことをしてるって知らなくても、その小説を読んで何かを感じるものがあれば、それが全てなんですよね。で、興味を持って、たとえば、僕のバイオを調べれば、それはそれでいいんだろうけれど、あくまで二次的なことですよね、順番としてもね。あるいは逆に、僕についての事実を知ることによって、それに邪魔されて、素直で自然な読み方ができなくなるということだってあるかもしれません。

だから、いま柴田さんが言われたように、たとえばニューヨークのことが書いてあって、アッパーウェストサイドの何丁目あたりというのが出てきたら、「ああ、だいたいこういう感じのエリアなんだな」というくらいのニューヨークの地理は知らないとちょっとまずいですが、まあ、一種の常識的な範囲だからね。

柴田 そうですね。

村上 繰り返すようですが、やっぱりテキストが全てじゃないかなと僕は思います。たとえば、アンソロジーなんかありますよね。で、いろんな作家がいて、ほとんどわけがわかんない作家も出てくるわけ。そうするとこの作家の背景がわからないから訳せないというのでは困りますよね。それじゃプロにはなれないでしょう。長篇ともなれば、ある程度は調べますけれど、でも良い翻訳をするためにやらなくてはならない大事なことはほかにもっとたくさんあると思いますよ。優先順位として。

質問者D　つまり、テキストを読み込めば、おのずと雰囲気もわかってくるということでしょうか。

柴田　というか、テキストを読んで感じたことがその人にとってのテキストの雰囲気だということです。テキストの唯一無二の正しい雰囲気なんてものはもともとないから、伝記的事実を調べればわかるものでもないということです。

村上　カーヴァーの小説を訳していると、お酒の問題がいっぱい出てくるわけです。その頃はレイモンド・カーヴァーという作家についての具体的な情報がほとんどなくて、どういう人なのかも皆目わからない。で、会ったときに「あなたの作品にはアルコール中毒の話が多いですね」って言ったら、「いや、実は私は以前アル中だったから」って言うんです。でもね、彼がかつて実際にアル中だっていうことを知らなくても、カーヴァーの作品のリアリティーというのは理解できるし、訳せるんです。彼がアル中であることを知らなかったことで、僕のそれまでの訳に何か大きな問題があったかというと、べつにそんなことはないと思う。あとで話を聞いて「あっ、そうなんだな」というふうに思うくらいですよね。

柴田　うん、そうですね。何か伝記的事実が、その小説と合っていても「あっ、やっぱりそうか」ぐらいの感じにしかならないことが多いですね。

ヒントは天から降りてくる

質問者E　翻訳書を読むときにも、これはすごく翻訳調で読みにくいなと思ったりすることがもちろんありますけれども、翻訳者その人が翻訳をしているときに当然、上手く訳せないというストレスとか、それから、隘路《あいろ》にはまってしまうとか、そういうことがあると思うんですけれども、たとえば、英文がわからないとか、固有名詞がどうしてもわからないというような、そういう隘路にはまってしまったときに、お二人はどういうふうにされますか。抜け出す方法というか、具体的にその、気分転換に何かをするとか。

私の知人で、戦争の話を翻訳していたときに、どうしてもわからない固有名詞があって、もうどうしようもなくて投げ出してしまって、好きなバスケットのNBAの本を読んでいたら全く同じ単語がその中に出てきて、「あっ、こういうことだったのか」と、あっという間に視界が開けて先に進むことができたという話を聞いたことがありますけれども、そういう非常にストレスの強い状態になったときに、どういうようなことがあったのか、具体的なことをうかがえれば嬉しいんですけど。

村上　わからないことってあるんですよね、絶対に。柴田さんと僕で一緒に一つのテキストを読んでいて、ぜんぜん何のことかわからないときってありますよね。

柴田　グレイス・ペイリーとか。

村上　いくつかあるよね。それでもう二人でね、ずーっと何時間も考えて、ああでもないこうでもないって……

柴田　そんなに考えないですよ（笑）。

村上　うん、考えない。ごめんなさい、五分か十分ぐらい（笑）。

柴田　まあもうちょっと長いかも（笑）。そういうのって、ネイティブスピーカーに聞けばわかるというものではないしね。

村上　ネイティブスピーカーに聞いてもほとんどわからない。そういうことがすごく多いんですよね。そういうときどうするか。あのう……勘でやっちゃうな（笑）。というかね、ジーッと考えていると勘が研ぎ澄まされてくるし、それでやったものって意外に合っているんですよね。

それからさっき、いま質問された方がおっしゃったような、一種のシンクロニシティみたいなものはね、必ず出てくるんですよね。ジーッと考えてるとね、ハッとね、何かが、ヒントが空から降りてくるっていうことがありますよね。

柴田　あります、ありますね。

村上　これはでも、ものすごく真剣に考えないと来ません。

柴田　だんだん宗教めいてきたな（笑）。

村上　でもね、文章にはそういう力ってあるんですよね。だから、文章の力を信じるというのは、意外に大事なことなんです。

で、わからないことがあったらどうするかというと、僕の場合は、まずそれはそのまま置いておいて先に進むんですよね。どんどん先に進む。もう忘れちゃうぐらい長く置いてから、後戻りすると「ああ、そうか。こうなんだ。なんでこんなことがわからなかったんだろう」というふうに視界が開けることが多いです。ただね、性格的に後まわしにできない人っているんですよね。そこで一回止まると、もうフリーズしちゃう人っています。でも翻訳というのはやっぱりある程度、リズムというかペースを作っていかないと駄目なものなので、あまり細部に拘泥しているとまずいと思う。気分を切り替えていくことは大事です。

で、さっきの話の続きで、ネイティブの人に聞くというのはよくやることなんだけど、三人聞いたら三通り意味が違うってことはありますよね。

柴田　そうですね。

村上　だから、ネイティブに聞いたから正しいということにはならないと思います。それよりは自分でとことん真剣に考えたほうが確かな場合が多いみたいです。

柴田　表現レベルでは全くおっしゃるとおりだと思いますね。とりあえずまあ、適当な日本語を書いておいて、次へ進んで、翌日見直すともう、なんというんだろう、前後の関係からこうでしかありえないというのがけっこう見えてきたりするから。訳しているときはどうしてもセンテンス単位になっちゃいますけれども、ダーッと後で見直すときはパラグラフの流れの中で読んでいきますから、センテンス単位にはまっているときは見えないものが見えてきたりする。一つのセンテンスを睨めばいいというものではないということはもう、まちがいなくあります。
それから、いまのご質問で固有名詞のことをおっしゃいましたが、こういう点については、現代作家を訳すことの何がいいって、よくわからないところは最終的には作者に聞くことができるっていうね、これは大きいですよ。

村上 それは言えてる。

柴田 翻訳をはじめてわかったんですけど、ほとんどの作家は、訳者の質問にとても親切に丁寧に答えてくれます。彼らは批評家に対してはやっぱり、半分敵、半分味方と思っているようなところがあって、非常に警戒的な態度をとるんですけれども、翻訳者っていうのは、何かね、自分が寝ている間に働いてくれる小人みたいに考えているんじゃないかな（笑）。すごく好意的です、みんな。翻訳をやっていて思いもしなかった嬉しいことは、とにかく作者がみんなすごく友好的であるということですね。

村上 翻訳家の飛田茂雄さんもどこかの本に書いておられたけど、いろんな作家にわからない部分の質問を書いたら、みんなちゃんと返事が返ってきて、来なかったのはジョン・アーヴィングだけだったということでした。まああの人はむずかしいですから。僕もよく僕の本を翻訳している翻訳者から質問を受けて、返事を出しています。書いた僕にもよくわからないというところが、実は少なからずあるんですが。

日本語筋力トレーニング

質問者F　日本の作家の方で、日本語の大辞典を何冊も潰すほど日本語を生み出すのに苦労をなさっている方がいるということを、何かで読んだことがあるんですけれども、今度は逆に日本語にする段階でご苦労な点は何なのか。あと、私は翻訳の勉強を始めたばかりなんですけれども、日本語を磨けとよく言われまして、意図的にそのへんの努力をなさっていることとかがありましたら聞かせていただきたいんですけれども。

柴田　まずですね、その、日本語を磨きましょうという言い方をよく目にするんですけど、どうも何か違和感があるんですね、僕は。何でなのかなあ、所詮自分の使える日本語しか上手く文章にはのらないということを痛感するんです。たとえば、文章を練るうえで類義語辞典というのは、必須なわけですね、よく使うわけです。それで、このAという言葉ではしっくりこないから何かないかなと思って辞書使いますよね。そうするとBという類義語があって、これは自分ではあまり使わない言葉だけど、おーいいじゃないと思って使うでしょう。それで次の日に読み直してみると、やっぱりそこだけ浮いてるということがものすごく多いんです。だから結局、自分にしっくりくる言葉には限りがあって、それを活用するしかないなというふうに思うことが多いです。だからもちろん、自分に使える言葉を豊かにするために、いわゆる日本語を磨く、いい文章をたくさん読むというのは、原理的には大事だと思うんですけれども、そうやっていわば下心をもって、いわゆる美しい日本語を読むことを自分に強いても、そう上手く自分のなかには染み込まないんじゃないかと思うんです。というか、そう思いたい。あとね、何で僕がそういう磨くとか鍛えるとかいう考え方がいやかというと、僕にとって翻訳は遊びなんですよ。

村上　ははは。

柴田　違います？

村上　いや、そうです。そのとおりです。

柴田　そうですよね。だから、仕事じゃないからそんな苦労はしたくないし（笑）、ええっと、いや、みなさん笑うけどこれ真面目に言っているんですよ（笑）。あのう、ええっと、なんというんだろう、要するに、日本語筋力トレーニングみたいな感じでね、好きでもないのにこれは美しい文章なんだからって自分に無理強いするみたいなことはしたくないんですよ。そもそも、何が美しい文章かっていうことの基準なんてものはないし、べつに日本文学に限らず英米文学でも、美文の基準みたいなものがあって、それに則《のっと》って書くのが正しい作法だみたいなことは現代の場合全くないわけですよね。だから、いわゆる美しい日本語といわれるものが仮に身につくとしても、それは単に、ある特定のトーンの日本語を身につけるだけのことだと思う。

　それで……僕は簡単に染まります。ある日本語の文章を読んでそのあと何かを訳すと、その文章が反映されているような気がしますね。自分の文体というのは、基本的にはもちろん、いやでも持っていると思いますけども、細かいところはですね、たとえば、村上さんの小説を読んだりしたあとに何かを訳すと、何かそれっぽくなったりするなと思ったりすることはありますから。
すみません、ちょっと支離滅裂ですけど、話を戻すと、英語の小説に限って考えても、美しい文章というのも制度になっちゃえばもう、文学にとってはそれからどう逸脱するかがむしろポイントになるわけだから、そういう、正しい型みたいなものを持つべきだとか、そういうことはあまり思わないです。もうとにかくその、原文を読んだときの感じがいちばん伝わる日本語を探すということであって、それは美しい美しくないというのとは別の話だということです。

村上 僕自身も自分の文章を書くとき、小説を書くときは、ものすごく苦労します。一生懸命考えます。辞書は一切引かないですけどね。日本語の辞書って、何か調べるので引くことはあるけど、自分の文章を書くためには引くことはまずないです。引く必要ないから。そんなにむずかしい言葉は使わないし。

翻訳をするときには、文章的にはそんなに苦労しないな。というのは、原文があるわけですよね。原文の意味と流れと呼吸がある。その原文を日本語に移し換えれば、そのまま自然に文章になっちゃうんだもん。とくに考えることないですよ。

柴田 というのは極論ですよね。

村上 いや、僕の場合、極論でもないんです。日本語に関して、翻訳の日本語に関しては、苦労したことはぜんぜんないですね。だから翻訳をするのは楽しいということになるのかな。だからさっき翻訳は遊びだって柴田さんがおっしゃったけど、そう言われてみればたしかに遊びという要素は大きいかもしれない。だって、考えなくていいんだもん、自分の文章に関しては。ただ、英語を日本語に移し換えるという、その置き換えについてだけ考えればいいわけであって、文章に凝るとかいうことはまずないですね。

小説を書くというのは、文章的に言えば、たとえばお客を呼んで特別料理を作るのと同じなんです。スーパーマーケットに行っていろんな食材を買いこんできて、冷蔵庫に入れて、いろんな下ごしらえして、客用の食器も出してきてというのがあるわけですよ。ところが翻訳というのは、おばんざいみたいなものなんです。冷蔵庫を開けて「あっ、きょうはこれとこれがあるから、これをささっと作っちゃおう」という自然体でやるのが、翻訳なんです。少なくとも僕にとってはそういうことですね。僕の場合はまあちょっと特殊なケースかもしれないけど。

翻訳の賞味期限

質問者G　先程からテキストが基本だということを再三おっしゃられていますけれども、私は亡命文学を研究しておりまして、あのう、重訳っていうんでしょうか、母国語から違う語に訳されて、それから日本語になっているものが非常に多いことに気づきまして、そこに面白味を感じて勉強を始めたということがあるんですけれども、重訳では母国語が持っている小説の質感などがだいぶ異なってしまう、訳された外国語のところで変わってしまっている部分が少しあると思うんですね。それが、さらに日本語に訳されるときにまた変わってしまって、母国語、作者が書いたもとのものとはかなり違ってしまったというのをずいぶん見たことがあるんです。そういう部分にちょっと疑問を持ったんですけれども、重訳ということに関して、テキストに重きを置くという意味で、いかがでしょうか。

村上　僕は実を言いますと、重訳ってわりに好きなんですよね。僕はちょっと変なのが好きだから、重訳とか、映画のノベライゼーションとか、興味あります。だから僕の場合はいささか偏見が入っちゃっているんだけど、いまおっしゃったような問題はこれから、グローバライゼーションということもあって、ものすごく増えてくると思うんです。たとえば僕の小説はノルウェー語に四冊ぐらい訳されているんですが、ノルウェーというのはなにしろ人口四百万人ぐらいの国だから、やっぱり日本語を訳せる翻訳者の数も少ないし、売れる部数も少ないんで、どうしても英語からの翻訳が半分ぐらいになります。四冊のうち、日本語から直接訳されているのが二冊と、英語訳からノルウェー語に訳されているのが二冊ということですね。

はっきり言って、いまはニューヨークが出版業界のハブ（中心軸）なんですよね。好むと好まざるとにかかわらず、そこを中心に世界の出版業界は回っています。言語的に言っても英語が業界のリンガ・フランカ（共通語）みたいになっています。この傾向はこれからもっと強くなるだろうと思われます。だから、いまおっしゃったように重訳の問題っていうのは、これからいっぱい出てくると思います。

正論で言えば、もちろん日本語からの直接翻訳がいちばん正確だし、またそうであるべきなんだけれども、正論ばかり言ってはいられないという状況はずいぶん出てくるだろうと僕は思うんですよ。世界の交流のスピードは急激に速くなっているし、現実的に言って、日本語からの直訳を世界じゅうの国に対して要求できるほど、日本語の地位は今のところ高くないです、残念ながら。だから、僕らがそういうシステムにある程度慣れていかないといけないんじゃないかなと思います。そしてその中でルールみたいなものを確立していく必要がある。もう一つ、英語に翻訳されるときはかなり細かくチェックすることも必要だろうと。個人的にはそう思います。

柴田　僕も『ダブル／ダブル』っていうアンソロジーを訳したときには、ラテンアメリカの作家の、だから、スペイン語の英訳から訳したりしているわけですね。やっぱりそういうときには、スペイン語の原文が読める人に、スペイン語の原文と照らしあわせてもらって、直してもらいます。そうするとですね、やっぱりもう一般論はないです。英訳が良ければほとんど違いはありません。で、悪ければもう、ほとんど違う話になってたよ、てなこともあって、その人が全部訳し直してくれたというのに近かったりするんですね。だから、本当に一般論としては言えないですけれども、まあとにかく、重訳というのはコピーのコピーを取るみたいなもので、そうすると鮮度は……鮮度じゃない。それは魚だな（笑）。精度というのかな。ええっと、が、やっぱり落ちる。その落ち方はそのコピー機の性能によるということにつきると思うんですよね。でもとにかく、そこから一般論が言えるとすれば、要するにもう、あらゆる翻訳は誤訳であるということで、何らかのノイズは忍び込むということであり、重訳の場合はノイズの増える割合が大きいということじゃないかなあ。

村上　バルザックを英語で読んだりとか、ドストエフスキーを英語で読んでるとね、けっこうおもしろいんですよね。不思議な味わいがある。おもしろいっていう点から言えばね。

柴田　ただ、あれですね、ヨーロッパ言語同士の翻訳だと、言語構造は、そうはなはだしく違わないから、一般論としてわりとノイズが増えないだろうなという気はするんですよね。たとえば、英語の小説を日本語に訳して、その日本語からまた、たとえばフランス語に訳したりすると、かなり大きく変わる。要するに、英仏日とやるのはそんなに変わらないにしても、英日仏だと何かすごく大きな変化が二度あるような気がしますね。

村上　僕の小説がそういうふうに重訳をされているということから、書いた本人として思うのは、べつにそれでもいいじゃないかって（笑）。多少誤訳があっても、多少事実関係が違ってても、べつにいいじゃない、とまでは言わないけど、もっと大事なものはありますよね。僕は細かい表現レベルのことよりは、もっと大きな物語レベルのものさえ伝わってくれればそれでいいやっていう部分はあります。作品自体に力があれば、多少の誤差は乗り越えていける。それよりは訳されたほうが嬉しいんです。

柴田　それはそうですよね。

村上　スピードって大事ですよね。たとえば僕がいま本を書いて、それが十五年後にひょいとノルウェー語に訳されたとして、それはそれでもちろん嬉しいんだけど、それよりは二年後、三年後にいくぶん不正確な訳であっても出てくれたほうがありがたいですよね。それは大事なことだと思うんですよ。正確さというのは大事だけど、速度というのも決して無視できないことです。たとえば、ヴォネガットの『チャンピオンたちの朝食』。あれね、アメリカで出たときに読んで素晴らしいと思ったんです。ところが日本でなかなか翻訳が出なくて、おそらく十年以上かかってやっと出たんです。

でもそのときにはなんかもう気が抜けちゃってるのね。これは賞味期限の問題だと思うんです。小説には時代的インパクトというものがあるし、同時代的に読まなくちゃいけない作品も、やはりあると思いますよ。

それからジョン・アーヴィングの *A Prayer for Owen Meany*（邦題『オウエンのために祈りを』）、あれも最近になってやっと出たけど、十年くらい翻訳にかかってますね。ジョン・アーヴィングぐらいのランクの同時代作家になれば、やはり時系列的に、あまり遅くならないようにして翻訳を出していくべきですよね。これは翻訳者の義務であり、出版社の義務ですよ。それが十年も経ってその間に発表された作品の翻訳がいっぺんに出るというのは、これは問題だと思います。だから正確に一生懸命やるというのも大事だけれども、スピードも大事ですよね。

柴田　それは僕にとって耳が痛い話で（笑）。この間、ある作家の翻訳が遅れに遅れていて、その本人ではありませんがエージェントから出版社に手紙がきて、見せてもらったら、お前んとこの選んだ翻訳者は評判はいいそうだけれども、いい翻訳でも出なきゃいい翻訳じゃないんだよって書いてあって（笑）。

亡命文学の話が出ましたが、コンラッドにしてもナボコフにしても、英語が母語でない人が書いたりするときには、かなり言語間の特殊性というのが浮き彫りになることが多いでしょう。作家のなかですでに翻訳が行なわれているというか。今日の話の趣旨にあわせて重訳ということを訊いてくださったんでしょうけど、亡命文学の場合、重要なのはやっぱりそっちの、作家における多言語性の問題でしょうね。

百面相と自分のスタイル

質問者H　ちょっと自分でも、まだ整理できてないことなんで、漠然とした質問になってしまうんですけれど、先程出た、お二人の文体というか、スタイルの違いというお話からちょっと思ったんですが、同じテキストであっても翻訳は違ってくるわけですよね。それでその作品が好きだけれども、必ずしもご自分が訳そうとは思われないこともあるわけで、そのベースになっているものは何なのかなと……自分の中のスタイルというのがまだ全然わかっていないのでうかがいたいんですけど。

村上　僕はたとえば、レイモンド・カーヴァーをやるけれども、ポール・オースターは訳さないわけです。で、柴田さんはポール・オースターは訳すけど、カーヴァーは訳してないですよね。

柴田　それは村上さんが訳しているからですよ。

村上　あっ、そうですか（笑）。でもね、柴田さんはカーヴァーには深くはのめりこまないんじゃないかと、僕は推測するんだけど。

柴田　いや、そうですね。それはおっしゃるとおりです。

村上　僕にとってもポール・オースターは尊敬している作家なわけです。好きだし、だいたい本は全部読んでるし、柴田さんだってレイモンド・カーヴァーの作品はいいと思ってますよね。

柴田　ええ。

村上　だから、好き嫌いとか、敬愛しているか敬愛してないかというのとは、少し違う問題なんですよね。で、僕がなぜポール・オースターを訳さないかというと、それは僕がポール・オースターから、文学的・文章的に学ぶところがないからです。と言うとすごくきつくなって、じゃあ、ポール・オースターは意味ないのかよということになるんだけど、そうじゃないんですよね。というのはポール・オースターは、すごく立派な仕事をしている作家だと思うんだけれども、彼が進んでいこうとしている方向と、僕が進んでいこうとしている方向は少し違うんです。だから、僕はポール・オースターの作品をあえて翻訳しようとは思わないわけ。なぜかというと、僕にとっては翻訳をするというのは、何かを真剣に学びとろうという作業なんですよね。さっきも言ったように、言うなれば〝遊び〟でやっているんだけど、それと同時にやっぱり何かを真剣に学びとろうと思っているわけです。

だから、オースターは好きだけどやらないんです。でも、カーヴァーという作家の中には、あるいはカポーティ、あるいはフィッツジェラルドという作家の中には、僕がまだまだ学びとらなくてはならないと考えるものが眠っているんです。それをなんとか掘り起こして、自分のものにしたいと僕は思うんです。

でも今度、ためしに二人で持ち分を交換しようということになりまして、僕がオースターを訳して、柴田さんがカーヴァーを訳して、比べてみようじゃないかということになってるので、ご期待ください。なんか〝海彦山彦〟みたいですが。

柴田　やっぱりそこが、作家でもある方が翻訳なさるときと、僕のように純粋に、純粋というと変だなあ……ええっと、とにかく作家ではない人間が翻訳するところの違いだろうと思うんですね。僕は基本的に翻訳はサービス業だと思っているんで、要は、自分が英語で得た情報を読者に日本語でどれだけ効率よく伝えるかの問題だと思っているので、そこから自分が学びとろうというふうに思ったことはないんですね。

ただ、そうやって自分が英語で得たものを他人に日本語で伝えるのがなぜ快感なのかは、よくわからないんですけどね。たぶんそれは、単純にやっぱりいい小説を訳すのって、半分そのいい小説を書いていた人間になったみたいな錯覚に陥れるからだと思うんですけどね。

まあ、それはともかくとして、いまのご質問でもう一つ、同じ文章を訳しても違うように出てくるだろうということもおっしゃってましたよね。それについては本当はあまり考えたくないんですよね。考えると暗くなる（笑）。というのはやっぱり、翻訳者としては無色でありたいと思っているから。だから、訳して柴田色みたいなものがあるとあまり思いたくないんですけれども……村上さんもそうでしょう？　あんまり村上色が翻訳に出ているとは思いたくはないですよね。

村上　思いたくはないけど、柴田さんの訳を読むとわかりますよ。これ、柴田さんだって。

柴田　そうなんですよ。だから困るんじゃないですか（笑）。本当はやっぱり、作家が変わればもうぜんぜん違うふうになるべきなんですけど、やっぱりどうしてもそれは、まあ、いくら百面相をやれと言われても、もとの顔っていうのはね、どうしても残っちゃうんですよね。でも、本当は残らないのが正しい。やっぱり自分はできるだけゼロになるのが原理的にはいいんですけど、まあ、でもいやでも残っちゃうでしょうね。

村上　うーん、というか、僕はフィッツジェラルドの短篇をいくつも訳してて、まあ、他の方ももちろん何人か訳してらっしゃって、まあ、有名な短篇であれば五、六種類は訳がありますよね。だいたいみんな自分の訳がいちばん良いと思っている。で、比べて読むとやはりずいぶん違うんですよね。さすがに文意はそんなに違わないですけど、文章というか、文体は違ってます。呼吸も違うし、雰囲気も違います。

僕はたとえばフィッツジェラルドみたいな古典作品というのは、そういう具合にいくつもの翻訳があって、いくつものヴァージョンがあって、読者が読み比べて、その中から自分のいちばん気に入ったものを選ぶというのがベストだと思うんです。それぞれの訳者の個性というものもあるし、また時代による洗い直しみたいなのもあっていいはずだと思う。音楽の演奏と同じですね。

たとえば、ベートーベンのピアノ協奏曲の三番は、バックハウスの演奏があって、グールドの演奏があって、ケンプがいて、ブレンデルがいて、ポリーニがいて、そういうなかから自分の好きな演奏、肌に合う解釈を選ぶというような選びとり方ですね。だからそういう意味では、フィッツジェラルドなんかについては僕は、自分の訳したいように訳すということをある程度は意識しています。他の方とはやっぱりちょっと違う、僕なりの翻訳を作っていきたいという頭がある。決して強引にはやりたくないけれど、僕にとってのフィッツジェラルド観みたいなものをきちんと出していきたいと考えています。

ただ、そうではなくて、僕しか翻訳が出てないものに関しては、もう少しニュートラルな方向に行きたいなというふうには思っているんですよね。たとえば、カーヴァーなんかに関しては僕の訳で全集まで出ちゃって、他の人が訳しにくいケースだと思うんで、できるだけニュートラルな訳を心がけていると思うんだけれども、カーヴァーになっちゃうと、どこまでがニュートラルで、どこからがニュートラルじゃないのか、僕にもちょっと判断がつきかねる部分があるんですね、本当に。あれはやはり一般的な文章とは言いがたいですから。それと、僕はあまりにも深くカーヴァーの作品に関わってしまったから。

質問者H そのスタイルに至るまでについて、もうちょっとうかがいたかったんですけど。

柴田 それは、さっきおっしゃった、ご自分のスタイルを発見なさっていないっていうこととつながるわけですね。うーん……

村上　それはね、僕の意見を言っていいですか。

柴田　どうぞ、どうぞ。

村上　それはとにかく、いくつも、いくつも、いくつも、いくつも翻訳をやるしかないと思うんです。その中で自然に出てきます。それしかないです。頭で自分のスタイルを作らなくちゃと思って考えても、それは無理です。積み重ねの中で出てくるものだから。とにかくもう何でもいいから、寝食を忘れて一生懸命いろんなものを翻訳して、何度も何度も読み直して、何度も何度も書き直して、人に読んでもらってまた書き直すということを続けていれば、スタイルというのは自然に出てきます。それはもう、歩き方とか、食べ方とかと同じことです。生きている過程で自然に身につかなければ、意味ないですよね。

柴田　うん、そうですね。だから、一つの作品を訳すうえでもやっぱり、第一稿はスタイルがまとまってないですよね。で、やっていくうちに、あっそうだ、この文章は、要するにこういうふうに訳されるべきなんだというのが、練っているうちに見えてくることっていうのがあると思う。そういう意味でも、一つ一つの作品に、なんというのかな、もともと自分が持っているスタイルをそれに押しつけるんじゃなくて、書いているうちにその文章そのもののスタイルがだんだんと立ち上がってくるみたいなふうになるのが理想だと思うんですよ。

その中でもう自分色が出ちゃうのは、それはむしろ、しょうがないことぐらいに思うべきで、自分のスタイルというものを確立しなきゃみたいに考えるべきではないだろうと思うんですよね。

村上　ただね、僕も一般論としては非常に言いにくいんですけど、たとえば、あなたが翻訳の仕事をなさってて、上からこれを翻訳しなさいというふうに降りてくるものと、これは自分がやりたいんだというものをやる場合とは違いますよね。自分がやりたいと思うものに関しては、スタイルを作りやすいと思うんですよ。ただ、上からこれをやりなさいと押しつけられた場合なんかだと、スタイルを見つけるのは難しいんじゃないかな。

柴田　そうですね。だから本当に自分の好きないい文章のほうが翻訳が楽だというさっきのお話に戻るわけですけどね。

質問者H　ただ、私の場合は、スタイルを作ろうとしているんじゃなくて、ジャッジの基準というか、A、Bという二種類の訳ができた場合、ジャッジしていって、それがスタイルの一部になっていくのかなとも思うんですけれど。

柴田　でも、ここでAがいいかBがいいかというのは文脈の問題だから、もう常にこういう場合はAになるとか、そういう基本方針というのはないような気がするんですけど。

村上　まあ、いちばんいいのはね、本当に、お友だちとか親しい人に読んでもらって、批評されることですね。本当はたとえば、グループなんかでみんなで読みあって、お互いに意見を言ったり批評するのが有効なのではないかと僕は思います。

柴田　人に読んでもらうのはすごくいいですね。自分で読み直すというのもつきつめれば他人の目で読むということだけど、やっぱり自分の偏りを偏りとして自覚するのは難しいから。

ところで村上さんは、今後どういう翻訳をなさるとか、そういうビジョンはお持ちですか。

村上　カーヴァーの書いたもので、訳し残しているものをやらなくてはならないですね。落ち穂拾いみたいなかたちになりますけれど。それからグレイス・ペイリーの短編集があと二冊あって、それはどうしても僕がやりたい。どうしてこんなにペイリーが好きなのか、正直なところ自分でもよくわからないですけど、とにかくこれはきちんとかたちにしたい。

あと、もうそろそろ年なんで、現在進行形で同時代で出ているものはもっと若い翻訳者の人たちに譲ってというか、やっていただいて、僕はどちらかといえば古いものを拾い上げていきたいなという気がするんですよね。新しいものに関していえば、おもだったものはだいたい自動的に翻訳されることになってきているし、それよりは古いもので落ちこぼれているもの、何かの理由で訳し残されているものを拾っていきたいです。ペイリーなんかはまあその例ですね。

本当は僕はサリンジャーの『ライ麦畑でつかまえて』をすごくやりたいんです。野崎孝さんの有名な訳がありまして、僕も高校時代にそれを読んで、すごくおもしろかったんですが、ただああいうものの翻訳にはやはり賞味期限みたいなものもあると思うんです。純粋に日本語の語彙の問題だけを取り上げても。だからさっきもクラシックにはいくつかヴァージョンがあっていいというふうに言ったけど、並列的にもっと別のヴァージョンがあってもいいんじゃないかなと思うんですよね。一方に歴史的な名訳があり、時代に合った新しい訳が同時にあり、でいいんじゃないかと。それが一般的な読者に対する親切だと僕は思うんです。

同じ意味あいで、前々から言っているように、『グレイト・ギャッビー』もいつかやりたいです。ただ『ライ麦畑〜』についいては、契約なんかのことでいろいろとむずかしい問題があって、現実的には僕が翻訳することは不可能に近いんですが。

あとですね、僕は『フラニーとズーイー』を関西弁で翻訳したかったんだ。ズーイーのしゃべりなんて標準語で訳されていると、「ふん、何言っているんだい」って思うんだけど、あれは関西弁でやると、なかなか味があっていいんですよ。

柴田　いやあ、それはおもしろいと思うなあ。あの小説のズーイーって、すごく能率悪く、もさっとした感じでフラニーに教え諭すでしょ。そこがいいですよね。それが、標準語で訳すと何か直接的すぎて、いかにもこう教えているという感じになるけど、あれを関西弁でやると間延び感が出ていいと思うんですよね。

村上　関西限定で出そうか（笑）。吉本ヴァージョン。

柴田　（笑）ええっと、他にいかがでしょうか。はい。

kidney オブセッション

質問者I　二人の先生に一つずつ質問させていただきたいんですけれども、まず柴田先生は他人の翻訳のチェックもなさっているということなんですが、それこそ逐次チェックをなさるということが、実際に翻訳してしまうのに近いものであるのか、それともチェックというのは、全く別個の作業であるのか、それをお聞きしたいと思います。

それから村上先生には、その趣味であることを重ねることで、たとえば、水泳をやればやるほどタイムがあがるように、その、伸びていくという感じが実感としておありになるんでしょうか。それとも、最初の頃からあまり変わらないのか、そういうところをおうかがいしたいんですが。

柴田　僕からでいいですか。翻訳のクオリティーって基本的に三種類あると僕は思っていて、原文のトーンに近いように思える日本語のトーンに再現されているのがベストだとすると、原文のトーンとは違うんだけれども、日本語として一貫したトーンを持っている。別のトーンだけれども、とにかくトーンとして一貫している、というのがセカンドベストで、最悪なのは、もちろん原文にトーンがきちんとあると仮定してですけれども、日本語としてトーンもリズムもないような訳文ということですね。

それで、実はその、いちばん悪いタイプの翻訳でも、自分で一から訳すより早いことは早いです、チェックするのは。ただ、その場合にはいちいち自分でリズムを組み立てなければいけないので、精神衛生にはものすごく悪いです。これだったら自分が訳したほうが早いというのは、文字通りには正しくないんだけれども、自分で訳したほうが楽しいということはまちがいないですね。

それで、訳文のトーンがきちんと定まっていれば、そのトーンに合わせて直しますから、チェックの作業も楽なんですね。その訳文がもともと持っている可能性の中心に寄りそえばいいから。

で、村上さんの翻訳をチェックさせていただく場合には、何かご本人の前で言うのもなんですけど、やっぱりその、原文のトーンと、何が合っているかというのは実は感覚的な話でしかないんですけれども、とにかく原文のトーンに合った日本語になっていると思うので、作業はすごく楽です。本当に英文解釈的なまちがいについてだけ口を出せばいいので。

ただ、やっているとですね、どこまでがいわゆる英文和訳的な意味で○×をつけられるところで、どこからは○×を超えた趣味の問題かというのは案外線が引きにくいです。で、チェックするときはまず思ったことは全部書き込むんですね。それで、あとでもう一回読み直して、これは趣味の問題だなというのは消していくんです。だから「ざっと見てください」と言われたりすると、何でも書き込んだ段階のものをそのまま渡すから、「ざっと見ただけでこんなに直されるのか」と相手がショックを受けたりして（笑）。

村上　柴田さんとのからみで、僕のやっている作業をいちおう説明しますと、下訳というようなものはまったくなしで、まず自分で翻訳をします。それで、それを何度も何度もチェックして、文章を揃えて、それでプリントアウトして編集者に渡して、その稿を柴田さんがチェックして、「ここはこうしたほうがいいんじゃないか」というコメントを書き入れて、そのコピーを僕がもらって、二人でそれを持ち寄って、ああでもないこうでもないと討論して、そうやって最終稿を仕上げます。二人で顔を合わせる、いわゆるセッションは一日で……まあだいたい一日で終わっちゃいますよね、本一冊ぶん。

柴田　そうですね。

村上　柴田さんとの作業は、本当に早いんですよ。だらだらした部分は一切ない。とてもプラクティカルです。

柴田　他の人ではちょっとできないですね。僕はその場で、ここがこう違っていて、だいたいこういう意味ですというのを申し上げるわけですね。そうすると、その場で新しい日本語がぱっぱっと出てくるというのはね……。それから一般の……なんというか、人間って、誤訳を指摘されるとまずみんな傷つくんですよね。

村上　うん。僕は間違いを指摘されてもとくに傷つかないですね。というのは、それはあくまで技術的な問題だから。技術的な問題というのは、まちがいを認めて、それを直して、もう一度同じ間違いをしなければ、それでいいわけです。すごく単純ですよね。そりゃもし柴田さんが僕の人間性の欠点についてあれこれ文句を言えば、僕だってそれはね……（笑）。

柴田　言いません（笑）。いや、でもそうですね。たいていの人は技術的な問題であるにもかかわらず、なぜか人格の問題として捉えちゃってね、翻訳って。間違いをすっと認めるということがたいていの人にはなかなかできなくて、だから、僕が村上さんとやっているようなことを他の人に対してやると、まずはその、まちがっているってことを指摘されたことに傷ついて、立ち直るのにいちいち三・五秒ぐらいかかるわけですね（笑）。これがやっててかったるいのね。だから、あまり他の人とはこの作業はやりたくないですね。

村上　翻訳に関していえば、僕はもともとの出発点が低いから、そんなにプライドって高くないんです。僕は柴田さんと十五年くらいそれをやってて、ずいぶんいろんなことを学びました。

十五年とはいっても、全部の本をやってもらっているわけではないんです。全部やってもらうと自立できないというところはありますから。でも少しでもより良い翻訳を作っていくには、協力者が必要です。これはたしかですよね。だから僕としては「これは柴田さんに見てもらいたいな」というものだけを見てもらうようにしています。最近の例でいえばグレイス・ペイリーの短篇集は柴田さんに見てもらったけど、マーク・ストランドの『犬の人生』は違います。

柴田　そうですね。

村上　で、ただ一つ言えるのは、柴田さんとの翻訳セッションを続けてて、その結果僕の語学力は確実に上がったということです。

柴田　それはそうですね、本当に。

村上　と先生はおっしゃいますけど（笑）。

柴田　いやあ、前はね、kidney というと……

村上　僕ね、kidney って必ず「肝臓」って訳していたんですよね。「腎臓」だってわかっているんです。かたちも頭に浮かぶ。でも訳すとなぜか「肝臓」ってなっているんですよ。なんでだろう。オブセッションみたいなものかもしれない。最近になってなんとかやっと治りましたけど。

柴田　いや、もっと高級なレベルでも、もちろん発展・成長はなさっています（笑）。

その、タイムが伸びる云々のご質問のほうは……

村上　それはなに、文章的にですか、あるいは語学力的にですか。

質問者I　翻訳という作業そのものということです。

村上　そうだな、ひとつ言えるのは、自信がついてくるということかな。どんなものでも時間さえかければ訳し通せるんだという確信がついてきます。昔は、ひょっとしたらこれは能力的に訳せないんじゃないかなとかね、力尽きて最後まで行けないんじゃないかなという不安が一抹あったんだけれども、最近ではやり始めたものは絶対に最後までできるんだという自信を持つことができます。たぶん実績を積み重ねてきた経験的なものだと思うんだけど、こうなるとやはり翻訳って楽しいんですよね。

柴田　僕もそれについてはちょっと考えるところがあって、やっぱりたくさんやっていると、同じフレーズに何度も出会ったりするでしょう。そういうときにいちいち一から悩まずに、だいたいこういうふうに訳そうというのが出てきますね。それで、どんどん仕事が早くなるっていうことはあります。ただ、そういうのも便利だけど気をつけなくちゃいけないと思うこともあって、なんていうんだろう、機械的にもうAという英語はBという日本語になるとかね、そういうふうに機械的にどんどん出てきちゃうと、やっぱり原文の声を聞く作業がおろそかになりかねないと思うんで、あまり早くなるのもまずいかなという気もするんです。

「涙目」と「あばずれ」

質問者J また翻訳調の話に戻ってしまうんですけれども、自分にとってこんな口調の文章は翻訳したときに、どうしても翻訳調の文章になってしまうと言いましょうか、翻訳をするときに気をつかって書いている単語とか、そういうのはあるんでしょうか。

柴田 これは翻訳調だから使うのはよそうという特定のフレーズとか、特定の訳し方みたいなものですね。ええっと、どうしましょう？

村上 柴田さん、おっしゃってください。

柴田 単語、フレーズレベルではね、たとえば、look over one's shoulder という言い方があって、前は僕も「肩越しに振り返る」って訳してたんですけれども、よく考えたら日本語では単に「振り返る」だろうとかね。つまり、日本語はそういうときにいちいち「肩越しに」とかいう言い方はしないわけですね。そういうところで何かこう、忠実に訳しているつもりが実は、英語では自然な表現が、日本語では不自然になっていたりすることはあるので、それを気をつけるとか、そういうことはしてますけどね。

村上 僕が翻訳を読んでて、いつも困ったなと思うのは、roll one's eyes の訳です。よく「目をクリクリさせた」とか「目をむいた」とか書いてあるんですけど、だいたいこれ、意味なさないです。たしかに辞書を引くとそう書いてあるんですよ。「目をクリクリさせた」とか「目をむいた」と。でも、おおかたの場合これじゃぜんぜん何のことかわからないんですよね。翻訳者もそのことに気がつくべきだし、編集者はチェックするべきなんだ。でもみんな「目をクリクリさせた」「目をむいた」とそのまま訳してそれで通用している。

柴田　目の関係は特にそうですね。原文では明らかにそれが、呆れているのか、驚いているのか、怒っているのかわかる。roll one's eyes っていうのはわりとこう、呆れている仕種とかが多いですよね。目をクリクリさせたじゃ、呆れてるっていうのがぜんぜん伝わらない。

村上　うん。それから watery eyes これも難しいです。みんなね、よくこれ「涙目」とか「にじんだ目」にするんだけど、なんのこっちゃ、ということが多いです。辞書を引くとたしかに「涙目」とか「にじんだ目」になっているわけ。しかし辞書的に正しくても、それじゃ意味のある文章にならない。この二つについては、ちょっと納得できない訳し方をしている人がプロの中にも意外に多いですね。

柴田　それについてはですね、研究社から『しぐさの英語表現辞典』という辞典が出ていてですね、たとえば roll one's eyes だったら、呆れた気持ちを表わすこともあるし、他にこういう気持ちを表わすこともあるというようなことが、例文つきで詳しく載っていて、とても便利ですから……あっ、すみません。あなたはそういう質問をなさったわけじゃないですね（笑）。

村上　違いますよ（笑）。

柴田　ごめんなさい。でも、あれはとてもいい辞典ですから（笑）。

村上　だから、僕が言いたいのは、その英語的な表現というのは、たとえばroll one's eyesもwatery eyesも、辞書的なことでいえば、英語特有の表現なんだけど、それだって日本語で別のかたちに言い換えられるんですよ。もっと本質をついたわかりやすい日本語に。サマセット・モームがどこかに書いていたけれど、「人間が書いたものが、人間に理解できないわけがない」。それをさらに敷衍《ふえん》すれば、「理解できたものが、別のかたちに置き換えられないわけがない」ということになります。

柴田　一般法則化すると、動作の向こうに感情が見えるとしたら、動作そのものよりむしろその、感情を伝えるのが大事である場合があるということですよね。

それからもうひとつ法則化すると、英語として自然な表現であれば、それを直訳しても日本語として不自然になってしまうなら、それは誤訳であると。まあ、そういうことを言うと、あらゆる翻訳が誤訳なんですけど、何らかの意味で。でも、とにかく、英語として自然な表現であれば、ほとんどの場合は日本語として自然な表現の対応物があると思いたいですよね。あると思ってやるべきです。

村上　あと、スラングの問題ね。bitchとかmotherfuckerとかson of a bitchとか、これをどう訳すかというのはかなり難しいですよね。みんなこれ苦労するんだけど、これもいちおう、いわゆる英語的な表現ですよね。ミステリーとかサイエンスフィクションとか、そういういわゆるジャンル小説を読んでいると、なぜかひとつひとつかなり忠実に訳している人が多いんですよね。

けっこう疲れますよね。bitchが「あばずれ」とか、「メス犬」とかね。たしかにそれは忠実なことなんだけど、いちばん大事なのは、その発言している人がどういう勢いで、相手に向かってどういう気持ちで言っているかを理解して、それを日本語に置き換えるということだと僕は思うんです。僕の場合は具体的にはほとんど訳さないです。

柴田　日本語はそれこそ代名詞も豊かだし、語尾も豊かだから、そのへんでなんとかその勢いを再現できることは多いですよね。一単語、一単語対応で再現する必要はないですよね。

越えられない一線

質問者K　すみません、何か変な質問ですけど、私は翻訳物と日本物を読んでいて、どうしても翻訳物のほうが読むのが遅いので、そんなことはないという人もまわりにいるんですけど、何でかなと思って見たら、翻訳本のほうが文字が詰まってるんですよ（笑）。それで日本物のほうが改行が多くてスカスカして読みやすくて、それが何かすごくリズムよく読めるような気がするんですね。

柴田　いかがですか？

村上　やっぱり一般的に言いまして、外国の小説のほうが本も分厚いし、中の情報量も多いんですよね。改行も日本の一般的な本に比べて、たしかに少ないと思います。だからそれをそのまま日本語に訳すとどうしても字が細かくて、ページ全体が黒々とした感じになっちゃいますね。それはわかります。特にアメリカ人は大きくて分厚くて、みっちりと活字の詰まった本のほうが好きみたいです。夏のプールのまわりでも、たくさんの人が水着姿ですごく重そうな本を読んでいる。いつも感心するんだけど。日本だとだいたいみんな薄い文庫本を読んでますよね。

柴田　一般論として、段落というものの感覚が明らかに違うんですよ。

村上　違いますね。

柴田　これもあまり一般的に言わないほうがいいかもしれないんだけど、日本人があることを論じるときに、小説よりも論説文で感じるんだけど、起承転結があったら四段落使います。それが英語だと、起承転結がワンパラグラフなんですね。だから、日本人だったらここで改行するのになというところで、しないことが多いですね。

いつもはそういうこともあんまり意識しないんですが、先日はじめて日本語の小説の英訳をやりまして、小川洋子さんの短篇をとても楽しく訳しながら、いつもと逆方向なのでいろいろ新鮮な発見・再発見がありました。パラグラフ感覚の違いもあらためて実感しましたね。

村上　柴田さんは、長すぎるパラグラフなんかがあると、翻訳するときに適当に改行したりしますか？

柴田　僕は全般には臨機応変にというけれども、小説の中で何は変えないかというと、たとえば段落ですね。段落の改行は一切変えないですね。

村上　僕、変えちゃうんですよね（笑）。

柴田　そんなに変えてないですよ。カーヴァーなんかで、ちょっとここはあんまりじゃないかっていうところで変えてらっしゃることはありますけど、やっぱりすごく少ないですよ。いや、本当は柴田は変えないで村上は変えるって言ったほうが話もおもしろいんだけれども（笑）、いや、村上さんもそんなには変えないですね。

村上　そうか。そう言われれば、小説ではたしかに変えてないかもしれないですね。でも小説以外ではけっこう変えているような気がしますけど。

柴田　僕の場合はやっぱり、そこをいじりだすともう止めどなくなって、際限がなくなってくるので、パラグラフはいちおう、神聖なものということにしようということでやっているんですね。パラグラフをどこで切るかっていうことでやっぱり、その作家の息づかいってすごく変わってくるから、それは、うん、読み進むのが遅くなって申しわけないですけども、パラグラフは変えないですね。

村上　やっぱりね。でも、たまーに変えますよね？

柴田　そうですね、うん。「この人の母語が日本語だったら絶対ここは変えるよ」と思えたら変えるということはたまにありますけどね。三年にいっぺんくらい（笑）。論説文だったらもっとやりますけどね。エッセイとか。

質問者L　ダジャレや言葉遊びが出てきた場合は、どうしたらいいと思われますか。本を読んでいると、ルビでごまかす訳が多いと思うんですよ。日本語を書いて、横に片仮名で、同じ言葉を使いましたよっていう。そういう具合に訳している人が多いんですけど、最近、映画の字幕なんかでもそういうのがあるんですけど、僕はあまりおもしろいと思わないので、それだったらないほうがいいか、ちゃんと日本人にもわかるようなダジャレに置き換えたらいいか、そういうのはいかがでしょうか。

柴田　いや、いままずそのご質問をうかがって、「たいていはルビで処理しますね」ってお答えしようと思ったんですよ(笑)。困ったな。いや、だから、おっしゃることはもちろんよくわかって、要するにその、おかしさの量が等価であるというのがもちろん理想ですよね。たとえば、小田島雄志さんのシェークスピア全集みたいに、原文とはぜんぜん違うダジャレなんだけれども、とにかく原文にダジャレが一個あったらダジャレを一個作るというのはひとつの理想です。で、小田島さんは言葉遊びの天才だから、ほとんど同じような笑いのダジャレが出てくるわけですね。

まあ、それを見習いたいとは思いますが、やっぱり小説の言語って、その前後の文脈とかなり密接に結びついているから、AはBであるというギャグをCはDであると置き換えて前後と破綻を来さないということはほとんどないです。そうするとやっぱり、その前後とのつながりを示すためにルビを使うことになります。たとえばひとつの単語が、あるところでAという意味になり、すぐあとではBという意味になり、そこでダジャレが成立するとする。その場合A、Bという日本語を書いて、そこに同じルビをふるという処理を僕はしますね。笑いの再現も大事だけれども、文脈を壊さないことのほうが大事と判断するわけです。もちろん、だから理想的には、笑いの強度もキープしつつ、文脈もぜんぜん乱れないというのが理想ですけれども、うーん、それがいつも可能かどうかは、少なくとも僕の頭では無理なことが多いですね。

村上　小田島さんの場合は芝居の台本で、実際に舞台で読み上げるためのものだから、小説とは事情がちょっと違いますよね。

柴田　そうですね。

村上　そのへんははっきり言って、やはりテキスト次第というところがあると思うんですよ。たとえば、スコット・フィッツジェラルドの短篇を訳すときに、まあ、ダジャレはないですけど、仮にそういうものがあったとして、それを僕が適当に別の何かに置き換えるかというと、それはできないですよね。というのは翻訳者にはそれなりの責任が課せられているから。スコット・フィッツジェラルドの短篇というのはやはり、それなりに時の検証を受けた重要な作品だから、適当にわかりやすく置き換えてなんていうことはむずかしくなりますよね。別のダジャレをもってきて何かに置き換えるというようなことは、やはりまずいと思う。

ただ、テキストによっては、そういう置き換えをある程度許容するものがあるということは言えると思いますね。

質問者L　文学的要素の強い作品だったら、あまり勝手にいじらないほうがよくて、ただの娯楽小説であれば、読者に楽しんでもらうために変えてもかまわないということですか。

村上　そういうことではないいんですけどね。ひとつにはその小説の目的によると思うんですよ。

たとえば、スコット・フィッツジェラルドの小説は、一九二〇年代、三〇年代が舞台になっているから、現代の目で読んでよくわからないもの、よく理解できないものっていっぱいあるんですよ。しかしだからといって、それを全部一般の読者に理解できるように、翻訳過程において親切にひとつひとつ別のかたちに置き換えていったら、それはもうフィッツジェラルドの小説じゃなくなっちゃうんですよね。リライトになってしまう。それはわかりますよね。

質問者L　はい、わかります。

村上　基本的にはそれと同じ意味あいで、そのダジャレみたいなものを別のかたちにどんどん勝手に翻訳者が置き換えていくというのは、それがたとえどのようなジャンルの小説であっても、純文学であってもエンタテインメントであっても、あまり正しいことではないんじゃないかと僕は思うわけです。程度の差こそあれ。翻訳とリライトは別のものですから。また実際問題として、一人の読者として正直言いまして、そういう創作的親切心が成功している翻訳の例を、僕はあまり目にしたことがありません。鼻につくというか、翻訳者のただの自己満足に終わっているケースが、わりに多いように感じます。

ただ、場合によってはということですが、日常的な感覚の中で自然な置き換えができるものってあると思うんです。そうすることがより原作者の意図に合致していると感じれば、それはもちろんやっていいと思います。字句的な正確さよりはリーダブルであることを要請しているテキストもあるとは思います。でも部分的にせよ、翻訳者が原作者と創作性を競い合うというような事態は、あまりいいことじゃないだろうと僕は思います。翻訳者というのはあくまで黒子《くろこ》であるべきですよね。極端な言い方をするなら、読んでいて「うまい翻訳だな」と読者に感じさせること自体が、悪訳の証《あかし》であるということにもなるかもしれない。僕はそう考えるんです。

柴田　文学的であるということと笑えるということは、べつに相反することではないですから、笑いがポイントの文学作品、たとえばジョゼフ・ヘラーの『キャッチ＝22』だったら、ああいうのはむしろ、場合によっては文字通りの表面的な意味は犠牲にしても笑いを伝えるべきだということはあるでしょうね。でも、それもやっぱり、とにかくその作品の全体の意図と矛盾するようなかたちでは駄目で、だいたい良い小説であるほどいじれないという一般則はあると思います。やっぱりいじるとどうしても、その全体の緊密なつながりを裏切ってしまうということがある気がします。

村上　僕の個人的なことを言えば、僕は小説家で自分で文章を書いてますけど、翻訳に関してはあまりいじらないですね。仕掛けは好きじゃない。やっぱり柴田さんと同じように、ダジャレがあれば、おそらくルビをふって処理すると思います。ただ、やはりスピードはそのぶん減りますし、笑いが等価というと、そんなことはありえないですが、でもダジャレの置き換えは僕にはできません。それは僕にとって、柴田さんの言う「越えられない一線」みたいなものかもしれない。やるとしたら、ニュアンスの中に自然に取り込むようにします。

複雑化する愛

柴田　そろそろ時間も押してきましたが、何か村上さん、言い残したことは（笑）、ありますか？

村上　翻訳をなぜするかという、最初の命題に戻ってきちゃうかもしれないけど、正直に言いまして、翻訳というのは苦労は多いけどそんなにお金にはならない（笑）。

だから好きじゃないとできないと僕は思うんですね。たとえば僕の場合であれば、翻訳しているよりは、たとえば自前のエッセイを書いたり、短篇書いたりしてるほうが、経済的にははるかに効率がいいんです。効率ということから言えば。それでも僕が翻訳をやるのは、どうしても翻訳がやりたいからです。なぜ翻訳をやりたいかというと、それは、自分の体がそういう作業を自然に求めているからです。なぜ求めるんだろうというと、それは正確に答えるのが難しい問題になってくるんだけどたぶん、僕は文章というものがすごく好きだから、優れた文章に浸《つ》かりたいんだということになると思います。それが喜びになるし、浸かるだけじゃなくて、それを日本語に置き換えて読んでもらうという喜び、柴田さんがおっしゃったように、紹介する喜びというものもあるし……えーと、翻訳は愛だと言ったのは柴田さんでしたっけ？

柴田　そうです。

村上　僕は文章を書く人間としてやはり、人々が文章というものを用いてどのような自己表現を行なうかということに対して、とても興味があるんです。自分がどのように自己を表現するかということにも興味があるし、同時に他の人がどういうシステムで、どういうやり方で自己表現しているかということにも興味があります。というか、自己という規定が他者という視点を必要としている以上、その二つは現実問題として分かちがたく絡み合っているわけです。

それで英語に「他人の靴に自分の足を入れてみる」という表現がありますよね。実際に他人の身になってみるということなんだけど、翻訳って、いうなればそれと同じです。

ものを書く読むということについて言えば、実際に足を入れてみないとわからないことって、たくさんあります。自分で実際に物理的に手を動かして書いてみないと理解できないことって、あるんですよね。目で追って頭で考えていても、どうしても理解できない何かがときとしてある。だから昔、印刷技術のないころには、写経とか、たとえば、『源氏物語』をみんなずっと写してた。これは要するに、現実的な必要に応じて、こっちからこっちに同じものを引き写すだけなんだけど、しかしそうすることを通して結果的に、あるいは半ば意図的にかもしれないけど、人々は物語の魂そのもののようなものを、言うなれば肉体的に自己の中に引き入れていった。魂というのは効率とは関係のないところに成立しているものなんです。翻訳という作業はそれに似ていると僕は思うんですよね。翻訳というのは言い換えれば、「もっとも効率の悪い読書」のことです。でも実際に自分の手を動かしてテキストを置き換えていくことによって、自分の中に染み込んでいくことはすごくあると思うんです。

だから、その染み込み方をどのように切実に誠実に読者に伝えられるかということが、僕は翻訳にとっていちばん重要なことじゃないかと思うんです。だから、ダジャレをどう処理するかという質問がきて、これは実はすごく難しい質問なんだけど、翻訳者がそのとき自分が感じた何かを、自分の中に染みこんできた何かを、こうすればうまく読者に伝えられるんだと感じたなら、そうするのは翻訳者の自由だと僕は思います。その自由というのは、人によって選び方が違うだろうけど、それがスタイルですよね。一般論として「こうしなさい」「こうしないほうがいい」と簡単に割り切れるものではないと思います。

ただひとつ言えるのは、これは自分のスタイルだからいいんだというふうに思っちゃ、それはただの傲慢になっちゃうわけですよね。そのへんの兼ね合いがすごく難しいと思うんです。だから、翻訳は愛だという柴田さんの説が、僕としてはわかるんですよね。でも、それは否定したんだっけ？

柴田　えっ？

村上　翻訳は愛だっていうのを柴田さん、否定してませんでした？

柴田　え、そうでしたっけ？（笑）あっ、そうかそうか。こないだ「小説トリッパー」に書いた話ね。（「三角関係としての翻訳」一九九九年夏号）あれは要するに、愛をテキストだけに向ければいいというものでもなくて、やっぱり読み手の立場に立って訳さないと結局、一人よがりの訳文になってしまうかもしれないということで。だから、要するに、前は翻訳は愛だと言って、このテキストをどう忠実に再現するかみたいなことをいつも考えていて、まあいまもやっていることは実はそう変わらないんですけど（笑）、気持ちの持ちようの問題なんですけど、だんだんやっているうちに、何かテキストに誠意を向けているだけでは駄目で、それを日本語に訳したときに、それが読者にどう見えるかっていうようなこともいつも考えるようになった。だから、翻訳者が真ん中にいて、テキストは右にいて、左に読者がいて、それで要するに、左右両方の女性に愛を振りまいているような（笑）、そういう不純なことをいつもやっているのが翻訳かなという気になってきた。だから、愛は愛なんですよ。愛が複雑化してきたんです（笑）。

村上　なるほど。

柴田　愛がややこしくなったところで終わりにしましょうか（笑）。どうもありがとうございました。

海彦山彦

村上がオースターを訳し、
柴田がカーヴァーを訳す

収集

レイモンド・カーヴァー

村上春樹訳

僕は失業していた。でもいつなんどき北の方から報せが舞い込んでくるかもしれなかった。僕はソファーに横になって雨の音を聞いていた。そしてときどき身を起こしては、郵便配達夫の姿が見えないかとカーテン越しに外を眺めた。

路上には誰もいなかった、まったく。

また横になって五分もしないうちに、誰かがポーチに上がってくる足音が聞こえた。ちょっと立ち止まり、それからノック。僕はじっと寝ころんでいた。それは郵便配達夫じゃない。僕は彼の足音をよく知っていた。失業中の人間はどれほど用心しても用心しすぎるということはないのだ。郵便で通告書を受け取ることもある。あるいはそれらはドアの下に突っこまれていく。直接話をしにくる人間だっている。とくにこっちが電話を持っていない場合には。

もう一度ノックの音が聞こえた。今度は前より強く。悪い徴候だ。僕はそっと身を起こし、ポーチの方を覗きこんだ。しかし誰かはわからないがその相手はドアの真前に立っていた。これもまた悪い徴候だ。床がきしむことはわかっていたから、忍び足で隣の部屋に行ってそこの窓から相手の姿を見ることも不可能だった。

もう一度ノックの音が聞こえた。どなたですか、と僕は訊いた。

オーブリー・ベルと申します、と男が言った。スレーターさんはお宅でしょうか？

どんな御用でしょうかね、と僕はソファーから声をかけた。

ミセス・スレーターにあるものをお持ちしたんです。ミセス・スレーターはおいでていらっしゃいましょうか？

ミセス・スレーターはもうここには住んでいないんですよ、と僕は言った。

ではあなたは御主人でいらっしゃいますか、とその男は言った。スレーターさん……と言ってその男はくしゃみをした。

僕はソファーから起き上がった。そしてドアの鍵をはずし、ちょっとだけ開けた。歳をくった男で、レインコートの下の体は太ってむっくりとしていた。水はコートをつたって、手に下げた大きなスーツケースみたいな代物の上にぽたぽたと垂れていた。彼はにっこりと笑って、その大きなケースを下に置いた。彼は手を差し出した。

オーブリー・ベルです、と彼は言った。

どなたですか、いったい、と僕は言った。

ミセス・スレーターがですね、と彼は切り出した。ミセス・スレーターがアンケートにお答えになりましてね。彼は内ポケットから何枚かカードを取り出して、ぱらぱらと繰っていた。ミセス・スレーター、と彼は読みあげた。サウス・シックスス・イーストの二五五番地、ですね？　ミセス・スレーターが御当選なすったんです。

彼は帽子を取って、うやうやしく肯き、これで終わったとでもいわんばかりにその帽子でコートをぴしゃっと打った。一件これにて落着、ドライブは終わり、終着駅に到着とでもいうような感じで。

彼はじっと待っていた。

ミセス・スレーターはもうここには住んでいないんですよ、と僕は言った。彼女は何に当選したんでしょうか？

あなたにそれをお見せしなくちゃなりません、と彼は言った。中に入ってかまわないでしょうかね？

さあどうかな。あまり時間を取らないようなら、と僕は言った。今ちょっと忙しいもんでね。

結構でございますよ、と彼は言った。まずこのコートをちょっと脱がせていただきまして。それからこのオーバーシューズも。お宅のカーペットを汚したくありませんからねえ。カーペットを敷いておられますよね、ミスター……

彼の目はカーペットを見てはっと明るくなり、それからだんだん消え入るように弱まっていった。彼はぶるぶると身ぶるいした。そしてコートを脱いだ。彼はそのコートの水を払って、ドアノブに襟のところを掛けた。コートを掛けるには良い場所ですな、と彼は言った。まったくそれにしてもひどい天気で。彼は身を屈めてオーバーシューズの紐をほどいた。スーツケースを家の中に置いた。オーバーシューズから足を抜くと、彼は室内履きで家の中に入ってきた。

僕はドアを閉めた。彼は僕がその室内履きをじっと見ているのを目にとめて、こう言った、W・H・オーデンは初めて中国を訪れたとき、始めから終わりまでずっと室内履きを履いていたんですよ。一度もそれを脱がなかったんです。うおのめのせいです。

僕は肩をすくめた。もう一度通りの方を見て郵便配達夫の姿が見えないことを確認してからまたドアを閉めた。

オーブリー・ベルはじっとカーペットを見ていた。彼は唇をすぼめた。それから彼は笑い出した。彼は笑って頭を振った。

何がそんなにおかしいんですかね、と僕は言った。

いや、なんでもありませんよ。しかしねえ、と彼は言って、また笑い出した。いやいや、頭がなんかぼうっとしてるな。どうも熱があるようです。彼はおでこに手を当てた。髪はもつれて、頭には帽子のあとが輪のようなかたちについていた。

どうです私は熱くありませんか？　と彼は訊いた。よくわからないな。どうも熱があるようなんですがね。彼はまだカーペットをじっと見ていた。アスピリンはお持ちではありませんか？

まったく冗談じゃないな、と僕は言った。こんなところで具合悪くなったりしないでくださいよ。こっちにはやることがあるんですからね。

彼は首を振った。彼はソファーに腰を下ろした。そして室内履きを履いた足でそのカーペットをこすった。

僕は台所に行ってカップを一つ洗い、瓶からアスピリンを二錠振って出した。

ほら、と僕は言った。これを飲んだら出て行ってくださいよね。

あなたはミセス・スレーターのかわりに口をきいておられるのかな？　彼は口から腹立たしげな音を出した。いやいや、今の言葉は忘れてください。今言ったことはなしです。彼は顔を拭いた。そしてアスピリンを飲んだ。彼の目は何もないがらんとした部屋をあちこちと眺めまわした。それからよっこらしょという感じで身を前に屈め、ケースのバックルをぱちんぱちんと外した。ケースはぱっくりと開いた。仕切りの中にはきちんと整理されたホースやら、ブラシやら、ぴかぴかのパイプやら、小さな車輪のついた重そうな青い何かの物体が収まっているのが見えた。彼はびっくりしたような顔でそれらのものをじっと見ていた。静かに、まるで教会の中で囁かれるような声で、彼は言った。これが何かわかりますか？

僕は近くに寄って見た。どうも電気掃除機みたいだな。僕はそんなものは買わないけれどね、と僕は言った。電気掃除機なんて買うつもりはまったくないな。

ちょっとあなたにお見せしたいものがあるんです、と彼は言った。上着のポケットからカードを一枚取り出した。これを見てください。彼はそのカードを僕に手渡した。誰もあなたに掃除機を売りつけようなんてしちゃいません。でもその署名を見てください よ。それはミセス・スレーターの署名じゃありませんか？

僕はカードを見た。それを明かりにかざした。僕はそいつを引っくり返してみた。

でも裏側は白紙だった。それで？　と僕は言った。

ミセス・スレーターのカードは、いっぱいカードの入ったバスケットの中から引き当てられたんです。こういう小さなカードが何百枚と入っているんです。その中から無料の掃除機サービスとカーペット・シャンプーを引き当てられたんです。当選なすったんですよ。変な裏はありません。私はお宅のマットレスの掃除だってして差し上げようと思っておりますよ、ミスター……、とにかくきっとびっくりなさいますよ。何カ月か、何年かのあいだにこんなにもマットレスにいろんなものが溜まるのかってね。私たちの人生において、私たちは毎日毎晩、体の一部をちょっとずつ落としていくんです。ひとかけら、またひとかけらとね。それらは、そういった私たち自身の細かな断片はいったいどこに行くのでしょうか。シーツを抜けて、マットレスの中に入ってしまうんです。そうなんですよ。枕にもです。枕だって同様です。

彼はきらきら光る何本かのパイプを取り出し、すでに一つに組み立てていた。そして今はその固定されたパイプをホースに差し込んでいた。彼はもそもそ唸りながら、両膝をついていた。そして何か小さなシャベルに似たものをホースに取り付け、車輪のついた青いものを取り上げた。

彼は自分が今から使おうとしているフィルターを僕に調べさせた。

車はお持ちですかね、と彼は尋ねた。

車はない、と僕は言った。僕は車を持っていない。持ってたらあなたをどこかに送ってあげるんだけどね。

それは残念ですな、と彼は言った。この小さな真空掃除機には六十フィートの延長コードが付いているんです。もし車をお持ちだったら、あなたはこの小さな掃除機を車のところまで押して行って、エレガントな敷物やらゴージャスなリクライニング・シートやらを掃除できるんですがね。車の素敵なシートの中に、何年ものあいだに私たちがどれほど多くのものを失っているか、どれほど多くのものを貯めこんでいるかごらんになると、きっとびっくりなさいますよ。

ねえベルさん、と僕は言った。あなた荷物をまとめて引き上げた方がいいんじゃないかな。これは親切心で言ってるんですけどね。

でも彼はコンセントはどこかと部屋を眺めまわしていた。ソファーの端っこのところに彼はコンセントを一つみつけた。機械はまるで中におはじきでもはいっているみたいながたごとという音を立てた。たぶん中で何かがゆるんでいるのだろう。それからやがてそれも収まって低い唸りに落ち着いた。

リルケは成人してからはずっと、城から城へと移り住んでおりました。後援者たちがおったんですな、と彼は機械の唸りに負けないような大声で言った。彼は自動車というものにほとんど乗りませんでした。自動車よりは列車を好みました。マダム・シャトレとシレに住んでいたヴォルテールをごらんなさい。彼のデスマスク。その静謐《せいひつ》。彼は僕がそれに反論するのを押さえるかのように右手を上げた。いやいや、そいつは嘘っぱちです。そうそうそのとおり。何もおっしゃるな。しかし誰もそんなこと知りゃしませんわ。そう言うと彼は振り返って、掃除機を引いて隣の部屋に向かった。

そこにはベッドが一つと窓が一つあった。布団は床の上に積み上げてあった。マットレスにはシーツが掛かり、その上に枕が載っていた。彼は枕のカバーを外し、それから手早くマットレスのシーツを剝いだ。彼はマットレスをじっと眺め、それからちらっと流し目で僕のことを見た。僕は台所に行って、椅子を一つ持ってきた。そして戸口に座って、見物した。まず最初に彼はシャベルを手のひらに当てて、吸引しているることを確かめた。そして身を屈めて掃除機のダイヤルを調整した。こういった際には最高の出力にしなくてはいけないんですよ、と彼は言った。彼はもういちど吸引力をチェックしてからホースをベッドの頭の部分にまで延ばし、シャベルをマットレスに当てて動かした。そのシャベルはマットレスにぎゅっと吸いついた。掃除機の唸りが大きくなった。彼はマットレスの上を三回前後させてから、機械のスイッチを切った。彼がレバーを押すと、蓋がぽんと開いた。彼はフィルターを取り出した。このフィルターはデモンストレーション用に付いているんです。普段ご使用になる場合には、こういうのは、こういうやからはすっかり全部、袋の中に入ってしまいます。これですよ。彼はほこりのようなかたまりの一部を指でつまみあげた。それはカップ一杯分はあっただろう。

彼はほらねという感じの顔をしていた。

それは僕のマットレスじゃないんだ、と僕は言った。僕は椅子の上で前屈みになり、なんとか興味を示そうとした。

今度は枕です、と彼は言った。彼は使ったフィルターを窓の敷居に置き、ちょっと外を眺めた。それから振り向いた。枕のそっちの端を持っていただけますかね、と彼は言った。

僕は立ち上がって、枕の端っこを二つ持った。何かの耳をつかんで持っているみたいな感じだった。

こんな感じかな、と僕は言った。

彼は肯いた。そして隣の部屋に行って、新しいフィルターを取ってきた。

それは高いものなんですかね、と僕は尋ねた。

ただみたいなもんですよ、と彼は言った。ただの紙とプラスティックでできたものですからね、高価なわけありません。

彼は足で掃除機のスイッチを入れた。シャベルが枕にめりこみ、動きまわっているあいだ、僕はしっかりとそれを抑えていた。一回、二回、三回とそれは上下した。彼はスイッチを切り、フィルターを取り、何も言わずにそれを上にかざした。それを窓際に持っていって、前のフィルターの隣に並べた。それから彼はクローゼットの戸を開けた。そして中を覗きこんだが、そこには鼠駆除剤の箱が一つ入っているだけだった。

ポーチに足音が聞こえた。それから郵便受けのふたが開き、またかちゃんと閉まる音が聞こえた。我々は顔を見合わせた。

彼は掃除機を引っぱって隣の部屋に行き、僕はそのあとを追った。玄関のドアの横のカーペットの上に、表を下にして落ちている手紙を我々は眺めた。

僕は手紙の方に向かい、それから振り向いて彼に言った。まだあと何かあるんですか？　もうあまり時間がないんですよ。カーペットはわざわざ手間をかける代物じゃないしね。安売り店で買ってきた、裏にすべり止めのついているような縦横十二フィート、十五フィートのコットンのカーペットだしね。手の入れようもないですよ。吸殻のたっぷり入った灰皿をお持ちじゃありませんか、と彼は言った。あるいは鉢植えの植物とかそういうのでもいいいんですが。土くれみたいなのがちょっとあればいいんです。

僕は灰皿を持ってきた。彼はそれを受け取って中身をカーペットの上にこぼした。灰と吸殻を室内履きの底でごりごりとこすった。そしてまた両膝をついて、新しいフィルターを装着した。彼は上着を脱いで、それをソファーの上に放った。彼はわきの下に汗をかいていた。贅肉がベルトの上に垂れかかっていた。彼はシャベルを回して外し、別の器具をホースに取り付けた。そしてダイヤルを調整した。そして足で機械のスイッチを入れ、何度も何度もすりきれたカーペットの上を行き来した。二度ばかり僕は手紙を取りにいこうかと思った。でも彼は僕の思いを見透かして、そのホースやパイプやその清掃の動きによって、僕の行く手をさえぎっているみたいに感じられた。

僕は椅子をまた台所に持ってきて、そこに座って彼の仕事ぶりを見物した。ひとしきりあとで、彼は機械のスイッチを切り、蓋を開け、何も言わずにフィルターを僕の前に差し出した。それはほこりやら毛やら細かい砂みたいなものやらでぎっしりだった。僕はフィルターを見た。それから立ち上がって、ごみ箱の中に捨てた。

彼は今ではきちっきちっと作業に励んでいた。説明は一切しなかった。彼は緑の液体が五オンスか六オンス入った瓶を持って台所にやってきた。そしてその瓶を流しの水道の水でいっぱいにした。

ねえ、僕は一銭も払えないんですよ、と僕は言った。たとえそれに僕の命がかかっていたとしても、僕は一ドルだってあなたに払えないんだ。まったくの骨折り損ってことになりますよ。あなた、時間を無駄にしているだけですよ、と僕は言った。

僕は物事をはっきりさせておきたかったのだ。思惑違いなんていうのは困る。

彼は自分の仕事を続けた。彼はまた別のアタッチメントをホースにつけた。そして例の瓶を、何かややこしいやり方で新しいアタッチメントに懸けるようにして取り付けた。彼はゆっくりとカーペットの上を動きまわった。ときどきエメラルド色の液体をちょっと垂らし、カーペットの上で前後にブラシを動かし、泡の小さなかたまりを作っていった。

僕は気になっていたことを全部言ってしまった。僕は台所の椅子に座って、今ではすっかりリラックスし、彼の作業を眺めていた。時折、窓の外の雨を見た。外はもう暗くなりはじめていた。彼は掃除機のスイッチを切った。彼は玄関の近くの角のところにいた。

コーヒー飲みますか、と僕は尋ねた。

彼ははあはあと息をしていた。彼は顔の汗を拭った。

僕は水を火にかけた。それが沸騰し、僕がカップを二つ用意したときには、彼はもう何もかもをばらして、ケースにしまいこんでしまっていた。それから彼は手紙を拾いあげた。彼は封筒の宛名を読み、差出人のアドレスをしげしげと眺めた。その手紙を二つに折り、尻のポケットに突っ込んだ。僕は彼のことをじっと見ていた。ただそれだけ。コーヒーは冷めはじめていた。

ミスター・スレーター宛でしたよ、と彼は言った。これは私が処理しましょう。コーヒーは遠慮しますよ、と彼は言った。カーペットを踏んでそっちに行きたくないんですよ。今シャンプーしたばかりですからね。

それもそうだ、と僕は言った。それからこう言った、その手紙の宛先は確かなんですかね？

彼はソファーの方に手を延ばして上着を取り、それを着た。そして玄関のドアを開けた。まだ雨は降り続けていた。彼はオーバーシューズの中に足を入れ、紐を結んだ。

それからレインコートを着て、振り向いて家の中を見た。

自分の目で見たいですか、と彼は言った。私の言うことは信じられない？

なんか変だなと思うけど、と僕は言った。

さあ、もう行かなくちゃ、と彼は言った。でも彼はまだじっとそこに立っていた。

あなた、掃除機はいらない？

僕はその大きなケースを見た。それはもう閉じられて、運べるようになっていた。

いや、いらないいな、と僕は言った。僕はすぐにここを出て行くつもりでね。あってても邪魔になるだけだから。

なるほど、と彼は言って、そしてドアを閉めた。


『カーヴァーズ・ダズン――レイモンド・カーヴァー傑作選』（中央公論社）より

レイモンド・カーヴァー

集める人たち

柴田元幸訳

私は失業していた。でも北の方から今日にも連絡があるはずだった。ソファに寝転がって、雨の音を聞いた。時おり顔を上げて、郵便屋が来ないかとカーテン越しに見てみた。

通りには誰もいなかった。何もない。

また横になって五分と経たないうちに、誰かが玄関先に上がってきて、一息待ってから、ノックするのが聞こえた。私はじっと横になっていた。郵便屋でないことはわかった。郵便屋なら足音でわかる。失業中はいくら注意してもしすぎることはない。郵便で通知が届いたり、ドアの下のすきまから押し込まれたりする。話をしに人が来ることもある。特にこっちに電話がない場合は。

ノックがまた聞こえた。さっきより大きなノックだ。悪い徴候。私はそろそろと体を伸ばし、玄関に誰がいるのか見てみようとした。でもそこにいる人物はドアにぴったりくっついて立っていた。これも悪い徴候。床が軋むのはわかっているから、こっそり隣の部屋へ行ってそっちの窓から見てみるわけにもいかない。

もう一度ノック。私は言った。どなたです？

オーブリー・ベルと申します、と男の声がした。ミスター・スレイターでいらっしゃいますか？

何のご用です？　私はソファから声を上げた。

ミセス・スレイターにお届け物がございまして。懸賞に当選されたんです。ミセス・スレイターはご在宅でしょうか？

ミセス・スレイターはここに住んでませんよ、と私は言った。

そうですか、で、そちらはミスター・スレイターでいらっしゃいますか？　と男は言った。ミスター・スレイター……と、男はくしゃみをした。

私はソファから降りた。ドアの錠を外して、少し開けた。歳の行った、太った男で、レインコートの下の体がたっぷりふくらんでいる。雨がコートから流れ落ちて、手に持っている大きなスーツケースのような妙な箱にぽたぽた垂れた。

男はにやっと笑って、大きなケースを下ろした。そして片手を差し出した。

オーブリー・ベルです、と男は言った。

存じ上げませんね、と私は言った。

ミセス・スレイターがですね、と男は切り出した。ミセス・スレイターが応募カードに記入されたんです。男は内ポケットからカードの束を取り出し、しばらくのあいだそれをトランプみたいにシャッフルしていた。ミセス・スレイター、と男は読み上げた。東六丁目南、二五五番地？　ミセス・スレイターが当選されたんです。

男は帽子を脱いで、おごそかにうなずき、帽子をぴしゃっとコートに叩きつけた。これで決まり、何もかも片づいた、ドライブはおしまい、終点到着、そんな感じ。

男は待った。

ミセス・スレイターはここに住んでませんよ、と私は言った。何が当たったんです？

これはちょっとごらんいただかないと、と男は言った。入ってもよろしいでしょうかね？

どうですかねえ。そんなに長くかからないんでしたら、と私は言った。いまけっこう忙しいんです。

承知しました、と男は言った。まずこのコートをちょっと脱がしていただいて。それにオーバーシューズも。おたくのカーペットに足跡をつけちゃ申しわけない。ふむふむ、カーペットはお持ちですな、ミスター……

男の目が、カーペットを見て光り、それから曇った。男はぶるっと身震いした。それからコートを脱いだ。コートを振って、襟をドアノブに掛けて吊す。ここがちょうどいい、と男は言った。とにかくこの天気には参りますな。男はかがんでオーバーシューズの留め金を外した。ケースを部屋のなかに下ろした。オーバーシューズから足を抜いて、室内履きで部屋のなかに入ってきた。

私はドアを閉めた。私が室内履きに見入っているのに気づいて、男は言った。W・H・オーデンは中国に初めて行ったとき、はじめから終わりまでずっと室内履きを履いてたんです。一度も脱がなかった。うおのめです。

私は肩をすくめた。もう一度、郵便屋がいないかと通りを見下ろして、またドアを閉めた。

オーブリー・ベルはカーペットに見入っていた。そして唇をすぼめた。それから声を上げて笑った。笑って、首を横に振った。

何がそんなにおかしいんです？　と私は言った。

いえべつに。こりゃいかん、と男は言った。もう一度笑った。頭がどうかしかけてるらしい。熱があるみたいです。男は片手をおでこに持っていった。髪はもつれ、頭皮の、帽子が触れていたところに丸い輪ができていた。

私、熱がある感じですかね？　男は言った。どうなのかなあ、熱があるのかなあ。

まだカーペットに見入っている。アスピリン、お持ちですかね？

具合でも悪いんですか？　と私は言った。ここで寝込んだりしないでくださいよ。こっちはやることがあるんだから。

男は首を横に振った。そしてソファに腰を下ろした。室内履きを履いた片足で、カーペットをごそごそこすった。

私は台所へ行って、カップをひとつすすぎ、アスピリンを二錠、壜から振り出した。

はいこれ、と私は言った。これ飲んだらお帰りくださいね。

あなた、ミセス・スレイターに代わっておっしゃってるんですか？　と男はきつい声で言った。いや、失礼、ご放念ください、いま申し上げたことはご放念ください。

男は手で顔を拭った。アスピリンを飲み込んだ。男の目が、がらんとした部屋をざっと眺めわたした。それから男は難儀そうに身を乗り出し、ケースの留め金を外した。

ケースがどさっと開くと、いくつもの仕切りのなかに、ホースや、ブラシや、ぴかぴかのパイプが並んでいて、それに何やら、下に小さな車輪がついた重そうな青い機械があった。男は驚いたような目でそれらに見入った。静かな、教会にでもいるみたいな声で、男は言った。これが何だかわかりますか？

私は近寄ってみた。掃除機じゃないですかね。僕、買う気ないですよ、と私は言った。掃除機なんて、全然買う気ないですからね。

ちょっとお見せしたいものがあるんです、と男は言った。上着のポケットから一枚のカードを取り出した。これをごらんください、と男は言った。そして私にカードを渡した。べつにあなたがお買いになるなんて申し上げちゃいません。でもこの署名をごらんください。それ、ミセス・スレイターの署名ですか、それとも違いますか？

私はカードを見た。光にかざしてみた。ひっくり返してみたが、裏には何も書いてなかった。で、どうだっていうんです？ と私は言った。

ミセス・スレイターのカードは、バスケット一杯のカードのなかから無作為に選び出されたんです。この小さなカードと同じようなのが何百とあるなかから。で、無料掃除機かけと、カーペット洗浄が当たったんです。ミセス・スレイターが当選されたんです。何も裏はありません。こちらのカーペットを掃除してさしあげてもいいんですよ、ミスター……何カ月、何年と過ぎるあいだにマットレスに何がたまるか、ごらんになったらびっくりなさいますよ。人生の毎日、毎夜、私たちは自分の小さなかけらを、あれやこれやの薄いひとひらを、あとに残しているんです。そいつらはどこへ行くのか、私たち自身の小さな断片は？　シーツを抜けてマットレスに入るんですよ、マットレスに！　それに枕にも。おんなじことです。

男はさっきから、ぴかぴかのパイプを何本か取り出してつなぎ合わせていた。組み合わさったパイプを、ホースに差し込んだ。両膝をついてふうふう荒い息をしている。何かシャベルみたいなのをホースにくっつけて、車のついた青い機械を持ち上げた。

これから使おうとしているフィルターを、男は私にじっくり見させた。

車はお持ちですか？　と男は訊いた。

ありません、と私は言った。車は持ってません。車があったら、あなたをどこかまでお連れするんですが。

そりゃ残念、と男は言った。この小型掃除機には二十メートルの延長コードがついてるんです。車をお持ちでしたら、こいつを車のところまで転がしていって、ビロードの敷物や豪華なリクライニングシートも掃除できるんですがね。びっくりなさいますよ、そういう立派なシートのなかに、長年のあいだに私たちのどれだけ多くが失われて、どれだけ多くが集まるか。

ミスター・ベル、と私は言った。荷物を片付けてお引きとりください。これはべつに悪気があって申し上げてるんじゃありません。

だが男はコンセントを探して部屋のなかを見回していた。ソファの一方の端にそれが見つかった。機械はごとごとと、まるでなかにおはじきでも入っているみたいに——とにかく何か外れている部品があるみたいに——音を立て、やがてぶーんという唸りに落ち着いた。

リルケはいろんなお城に住んでいました。成人してからずっとです。後援者がいたんですな、と掃除機の唸りに負けぬよう男は大声で言った。自動車にはめったに乗りませんでした。汽車の方がいいって言ってね。それと、マダム・シャトレとシレー城に住んだヴォルテール。あのデスマスク。静謐そのものです。男は右手を、まるで私の反論を押さえようとしているみたいに上げた。ええ、ええ、よかありません。みなまでおっしゃいますな。だがわからんものですぜ。そう言って男は向こうを向き、掃除機を隣の部屋に引っぱっていった。

そっちにはベッドと、窓がある。ベッドカバーは床の上に山になっていた。マットレスの上に枕がひとつ、シーツが一枚。男は枕からピローケースを外して、それからすばやくシーツをマットレスから剝がした。男はマットレスをじっと見て、目の端で私を見た。私は台所へ行って椅子を出してきた。戸口のところに座って、見物した。男はまずシャベルを手のひらにあてて、吸い具合を試した。かがみ込んで掃除機のダイヤルを回した。こういうのが相手だと全開にしなくちゃいけません、と男は言った。そしてもう一度吸い具合を試してから、ホースをベッドの頭の方に伸ばして、シャベルでマットレスをなぞりはじめた。シャベルがぎゅっとマットレスを引っぱる。ブイーンという音が大きくなった。男はマットレスを三回縦断して、それからスイッチを切った。何かレバーを押すと、ふたがぽんと開いた。男はフィルターを取り出した。このフィルターはデモンストレーション用です。普通に使うときは、これがみんな、この物たちがみんなこっちの袋に入るんです、と男は言った。その埃っぽいゴミの一部を、指でつまんでみせた。カップ一杯分はありそうだ。

　男はいわくありげな顔つきをした。

　それ、僕のマットレスじゃないんです、と私は言った。椅子に座ったまま乗り出して、興味があるようなふりをした。

　次は枕だ、と男は言った。使ったフィルターを窓のところに置いて、しばし外を見た。それからこっちを向いた。枕のこっち側を持っていてもらえませんか、と男は言った。

私は立ち上がって、枕の二隅をつかんだ。何かの両耳をつかんでいるみたいだ。

これでいい？　と私は言った。

男はうなずいた。そして隣の部屋に行って、新しいフィルターを持って戻ってきた。

それ、いくらするんです？　と私は言った。

ただ同然です、と男は言った。紙と、プラスチックが少しだけですから。高くなりようがない。

男は足で掃除機のスイッチを入れた。私がしっかり押さえた枕に、シャベルが沈み込み、まっすぐ動いていく——一度、二度、三度。男はスイッチを切って、フィルターを外し、何も言わずそれを掲げてみせた。さっきのフィルターと並べて、窓のところに置いた。それから、押入れのドアを開けた。なかを覗いたが、ねずみ取りが一箱あるだけだった。

玄関から足音が聞こえて、郵便の差込み口が開き、またかちんと閉まった。我々はたがいの顔を見合った。

男は掃除機を引っぱっていき、私は男について隣の部屋へ入った。玄関のドアのそば、カーペットに下向きに落ちた手紙を我々は見た。

私は手紙の方に行きかけて、男の方を向き、言った。あとまだ何があるんです？　もう遅い時間ですよ。こんなカーペット、手間をかけるほどのものじゃありません。安売り店で買ってきた、裏に滑り止めのついた、三×四メートルの綿のカーペットです。手間かけたって仕方ない。

吸い殻のたまった灰皿はありますかな？　と男は言った。あるいは、植木鉢か、そんなようなものは？　土が一握りあれば結構なんだが。

私は灰皿を出してきた。男はそれを受けとって、中身をカーペットの上にぶちまけ、灰や吸い殻を室内履きでごしごし踏みつけた。そしてまた両膝をついて、新しいフィルターを差し込んだ。上着を脱いで、ソファの上に放り投げた。腋の下に汗をかいている。ベルトの上に贅肉が垂れていた。男はシャベルをねじって外し、別の道具をホースにつけた。ダイヤルを合わせる。足でスイッチを入れて、前にうしろに、前にうしろに、くたびれたカーペットの上を動かしていく。私は二度、手紙の方に向かって歩きかけた。だが男は私の動きを読んでいるのか、そのたびに行く手をさえぎった。

ホースとパイプで、えんえん掃除をつづけながら……

私は椅子を台所に戻して、腰かけて男の仕事を見物した。しばらくすると男はスイッチを切り、ふたを開けて、黙って私の方にフィルターを持ってきた。埃や、髪の毛や、小さな砂っぽい物がびっしり入っている。私はフィルターを見て、それから立ち上がり、ゴミ入れに捨てた。

男はいまや黙々と仕事していた。もう説明はなし。緑色の液体が何オンスか入った壜を持って台所にやって来た。壜を蛇口の下に持っていって、水を一杯に入れた。

僕はお金なんて払えませんよ、と私は言った。命がかかってるって言われたって、一ドルだって払えやしません。この家は丸損ってことで片付けてもらうしかないですね。僕なんかにかかずらったって時間の無駄です、と私は言った。

これははっきりさせておきたかった。誤解のないように。

男は作業をつづけた。また別の部品をホースにつけて、何やら込み入ったやり方で壜をその新しい部品に引っかけて留めた。カーペットの上をゆっくり動いていきながら、時おりエメラルド色の液体をしゅっと垂らし、ブラシを前後に動かしてカーペットをこすり、あちこちに泡を立たせた。

私はもう、思っていることはみんな言ってしまった。のんびりした気分で、台所で椅子に座って、男の仕事を見物した。時たま、窓の外の雨を眺めた。暗くなってきた。

男は掃除機のスイッチを切った。部屋の隅、玄関のドアのそばに男は立っていた。

コーヒー飲みます？　と私は言った。

男ははあはあ息をしていた。手で顔を拭った。

私はやかんを火にかけた。お湯が沸いて、コーヒーが二杯入ったころには、男は何もかも分解してケースに戻し終えていた。それから男は手紙を拾い上げた。手紙に書かれた宛名を読んで、差出人の住所氏名をしげしげと眺めた。それから手紙を二つにたたんで、尻のポケットにしまった。私はずっと、男のすることを見守っていた。それ以外何もしなかった。コーヒーが冷めかけていた。

ミスター・スレイターという人に宛てた手紙です、と男は言った。こいつは私が処理しときましょう。そして男は言った。やっぱりコーヒーは遠慮しましょうかね。このカーペットの上を歩かんほうがいいし。洗浄したばかりですから。

そうですね、と私は言った。それから私は言った。手紙の宛先、ほんとにそうなんですか？

男はソファに手をのばして上着を取り上げ、着て、玄関のドアを開けた。雨はまだ降っていた。オーバーシューズに足を入れて、留め金を止めて、それからレインコートに袖を通し、家のなかの方をふり返った。

ごらんになりますか？　と男は言った。私の申し上げることが信じられんと？

変だなって思っただけです、と私は言った。

ま、とにかくもうおいとまします、と男は言った。でも男はそこにつっ立ったままだった。掃除機、要るんですか、要らないんですか？

私は大きなケースを見た。もうふたも閉まって、運べるようになっている。

いいえ、と私は言った。やめときます。どのみちじきにここを出ていくんです。荷物になるだけだから。

結構、と男は言って、ドアを閉めた。


（訳しおろし）

ポール・オースター

オーギー・レンのクリスマス・ストーリー

村上春樹訳

僕はこの話をオーギー・レンから聞いた。この話の中でのオーギーの役まわりはあまりぱっとしたものではないので、というか少なくとも本人はそう思っているので、書くときには本名は伏せてもらいたいと彼に頼まれた。それを別にすれば、ここに書かれていることは、彼が話したとおりそのままである。落とした財布のことも、盲目の女のことも、クリスマス・ディナーのことも。

オーギーと僕は知り合ってから、もう十一年近くになる。彼はブルックリンのダウンタウン、コート・ストリートにある葉巻ショップの店員だが、ここは僕の愛用する細身のダッチ・シガーを扱っている唯一の店なので、僕はけっこう頻繁に立ち寄ることになる。でも長いあいだ、僕はオーギー・レンにはとくに注意を払わなかった。彼はフードのついたブルーのスエットシャツを着た、風変わりな小男であり、僕に葉巻と雑誌を売ってくれる。そして天気や、ニューヨーク・メッツや、ワシントンの政治家たちについて、いつも何かおどけた意見を口にする、愛敬のある毒舌家である。僕にとってのオーギーは、せいぜいその程度の存在だった。

ところが何年か前のある日、彼は売り物の雑誌をぱらぱらとめくっていて、たまたま僕の著書の書評を目にした。その書評には顔写真も載っていたから、それが僕の本だとわかったのだ。そしてそれを境に、僕らの関係は一変した。オーギーにとって僕はもうただの店のお客ではなく、特別な人になってしまったのだ。世の中のたいていの人は、本とか作家になんてとくに関心も持たない。ところがオーギーは自分のことをアーティストであると考えていた。だから僕の隠された素性を見抜いた今、彼は盟友として、秘密共有者として、同志として、僕を熱く迎え入れた。正直に言わせていただければ、それは僕にとってはむしろ迷惑なことだった。そして、ほとんど避けがたい成りゆきとして、彼が僕に向かって、どう、俺の撮った写真を見たくないかね、ともちかける瞬間が到来することになった。その熱意と善意を前にして、いや、そんなもの見たくないんだけど、とはとても言えない。

そのときどんなものを見せられることになると僕が予想していたのか、今となってはぜんぜん思い出せない。でも翌日オーギーが持ち出してきたものが、予想とはかけ離れたものであったことだけは確かだ。店の奥にある窓のない小さな部屋の中で、彼は段ボール箱を開け、まったく同じ形をした十二冊の黒い写真アルバムを引っぱり出した。これが俺のライフワークなんだ、と彼は言った。でも一日五分もかけずにできることなんだよ。過去十二年間にわたって、毎朝ぴったり七時に、彼はアトランティック・アヴェニューとクリントン・ストリートの交差する角に立ち、ぴったり同じアングルで一枚だけカラー写真を撮った。そのプロジェクトが産出した写真の数は既に四千枚を超えていた。アルバムは年度ごとに分かれていて、すべての写真は日付順に並べられていた。一月一日から十二月三十一日まで、ひとつひとつの写真の下に日付が丁寧に書き込まれていた。

そのアルバムのページをめくって、オーギーの作品を眺めながら、何をどう考えればいいのか見当もつかなかった。こんなに変てこで、こんなに面食らわせられるものを目にしたのは初めてだ、というのが僕の第一印象だった。すべての写真がすべて同じだった。神経が麻痺しそうなほどの延々たる繰り返し、それがまさにそのプロジェクトの全容だった。どこまでいっても、出てくるのはまったく同じ街路と、まったく同じ建物なのだ。これでもかと重複されていく映像が、頭を容赦なくくらくらさせる。オーギーになんと言えばいいのかわからなかったので、僕は適当にうなずきながら、そのままページを繰り続けた。オーギー自身は見るからに悠々として、顔に大きな笑みを浮かべながら僕を見守っていた。でも僕がひとしきり写真を見たところで、急に遮って言った。「見るのが速すぎる。ゆっくり見ないと意味はつかめないよ」

もちろん彼の言うことは正しかった。時間をかけて見なければ、何ごとによらず本当に見たことにはならない。僕は別のアルバムを手に取り、もっとゆっくりと丁寧に見なくてはと自分に言い聞かせた。ディテールを綿密に眺め、天候の変化に目をとめ、季節の進行がもたらす光のアングルの変化に注目した。そのうちに僕は、交通量の微妙な差を見てとったり、それぞれの日の異なったリズムを感じとったりできるようになった（ばたばたとあわただしい平日の朝、比較的穏やかな週末、土曜日と日曜日とのあいだのコントラスト）。それから徐々にではあるけれど、背景に映っている人々の顔を識別できるようになってきた。仕事場に向かっている人々、毎朝同じ場所にいる人々、オーギーのカメラの視野で、それぞれに人生の瞬間を生きている人々だ。

一度人々の顔を覚えてしまうと、僕は彼らの身ぶりや、ある日の朝から翌日の朝へと変化していく様に目をとめるようになった。その外見の徴候から、人々のその日の気分を推しはかってみた。彼らのための物語をこしらえることができそうな、彼らの身体の内側に固く押し込められている目には見えないドラマに到達することができそうな気がしてきた。僕は次のアルバムを手に取った。もう退屈していなかったし、最初に感じたような当惑も消えていた。オーギーは時間を撮影しているのだと僕は悟った。自然の時間と、人間の時間の両方を。そして彼はそれを、世界の小さな街角に自らを据え付け、そこを進んで自分自身の場所となすことによって、自らのために選んだその小さな場所に歩哨《ほしよう》として立つことによって、なしとげているのだ。僕が自分の写真に夢中になっているのを眺めながら、オーギーは満足の笑みを顔に浮かべつづけていた。そしてまるで僕の心を読むかのように、シェークスピアの一節を暗唱した。「明日、そして明日、そして明日」と彼は囁くようにつぶやいた。「時は、じりじりと這うがごとく進む」。私はそこで理解した。自分が何をやっているのか、オーギーはしっかり心得ているのだ。

それは今から二千枚の写真ぶん以上昔の話だ。その日以来、オーギーと僕は彼の作品について何度となく語り合った。しかし彼がカメラを手に入れて、写真を撮り始めたきっかけについて僕が知ったのは、つい先週のことである。それが彼が僕に語ってくれた話の主題だった。そしてその話をどのように解釈すればいいものか、僕はいまだに頭を悩ませているのだ。

その週の始めに、「ニューヨーク・タイムズ」の編集者がうちに電話をかけてきて、クリスマスの朝の新聞に載せる短篇小説を書く気はあるかと尋ねた。僕はほとんど反射的に「ノー」と言おうとした。でも相手の編集者はとても感じが良かったし、また簡単には引き下がらなかった。そして結局「できるかできないか、ちょっと考えてみましょう」ということになった。でも電話を切った瞬間、僕はおそろしいばかりのパニックに襲われた。クリスマスについて、僕が何を知っているというのだ？ 僕は自分に向かってそう問いかけた。依頼注文を受けて書く短篇小説について、何を知っているというのだ？ それから数日間を僕は、ディッケンズやO・ヘンリーや、その他もろもろのクリスマス的精神を描くことに長《た》けた巨匠たちの亡霊を相手に戦いながら、絶望のうちに過ごした。「クリスマス・ストーリー」という名称そのものが、僕を滅入らせた。偽善的な感傷や、べとべとした甘さが喉もとまでこみ上げてくる。クリスマス・ストーリーというものは、たとえどんなに見事な作品であっても、所詮は願望実現の夢であり、大人のためのおとぎ話ではないか。そんなものをこの僕が書くなんて、とんでもないことだ。でもだからといって「よし、それじゃひとつ甘ったるくないクリスマス・ストーリーを書いてやろう」と決意できるかというと、それも無理だ。

それは明らかな自己矛盾であり、あり得ないことであり、きわめつけのパラドックスである。たとえていうなら、脚のない競走馬のようなものであり、翼のない雀のようなものである。

僕はどこにもたどり着けなかった。木曜日に長い散歩に出て、頭を外気で冷やすことにした。お昼ちょっと過ぎに、手持ちを買い足しておこうと葉巻ショップに寄った。カウンターには例のごとくオーギーが立っていた。元気かね、と彼は僕に尋ねた。なんというつもりもなかったのだが、僕は彼に向かって心の重荷を打ち明けていた。「クリスマス・ストーリーねえ」、僕が話し終えると彼は言った。「それだけのこと？もし昼飯をおごってくれたら、あんたがこれまでに聞いたことがないようなとびっきりのクリスマス・ストーリーをひとつ話してあげるよ。おまけにこいつは一〇〇パーセント、正真正銘の実話なんだぜ」

我々はそのブロックにあるジャックの店まで歩いた。狭苦しくて騒がしいデリカテッセンで、うまいパストラミ・サンドイッチを出し、壁にはブルックリン・ドジャーズの古いチーム写真がかかっている。我々は奥にテーブルをひとつみつけ、料理を注文した。そしてオーギーは話し始めた。

「一九七二年の夏のことだった」と彼は言った。「ある朝、ガキが一人うちの店に入ってきてものを盗んだ。十九か二十か、それくらいの年だったと思う。けっこう長く生きてきたけど、あんな情けない万引き犯を目にしたことはないね。店の向こう端の壁にあるペーパーバックのラックの脇に立って、レインコートのポケットに本を詰め込んでいた。そのときカウンターのあたりは混み合っていたんで、最初のうちは目にとまらなかった。でもそいつのやっていることがわかると、俺は大声で叫んだ。やつは兎みたいに駆け出した。カウンターの奥からやっと出てきたときには、そのガキはもうアトランティック・アヴェニューを全力疾走していた。半ブロックくらいは追っかけたんだけど、そこであきらめたよ。逃げる途中で何かを道に落としていったし、もうこれ以上走りたくもなかったんだ。そしてかがみ込んでその落とし物を調べてみた。

そいつの財布だった。金は入ってなかったが、かわりに運転免許証と、スナップショットが三枚か四枚入っていた。だから警官を呼べば、そいつはすぐに逮捕されたはずだ。免許証には名前と住所が書いてあったからさ。でもなんかそいつがちょっとかわいそうになってきたんだ。惨めったらしいただのガキだったし、財布の中にあった写真を見ると、そんなに腹も立たなくなってきた。ロバート・グッドウィンに対してさ。うん、それがそいつの名前だった。一枚の写真の中では、たしかそいつは母親だかおばあさんだかに腕をまわして写っていた。べつの写真の中では、そいつは九つか十で、野球のユニフォームを着こんで、にこにこ笑って座っていた。べつにいいじゃないか、と俺は思った。どうせドラッグでもやってたんだろう。ブルックリンの貧乏ながキの将来なんてたかがしれている。それにだいたい、クズみたいなペーパーバックが二、三冊盗まれて、なんだっていうんだ。

俺は財布を保管しておいた。家に送ってやらなくちゃなとときどき思い出すんだけど、つい送りそびれて、結局そのままになってしまった。やがてクリスマスの季節がやってきて、俺はまったくの手持ち無沙汰になった。いつもはうちのボスが家に招待してくれて、そこでクリスマスを過ごすんだが、そのときは一家をあげてフロリダの親戚のところに行っていた。だから俺はその日の朝、自分のアパートの部屋に一人ぼっちでいて、つまらない思いをしていた。そのとき台所の棚に載せてあったロバート・グッドウィンの財布がひょっと目についたんだ。俺は思った。そうだ、たまには善いこともしてみようじゃないかってさ。俺はコートを着て、外に出た。財布を直接手渡して返してやるつもりだった。

住所はボーラム・ヒルの、低所得者用公団のどこかだった。凍てつくように寒い日でね、その棟を見つけるまでに何度も迷ったことを覚えている。そこでは何もかもがおんなじに見えるし、違うところに出たつもりで、ひとつの場所をぐるぐるまわっていたりするんだよ。でもやっとこさ目当ての部屋にたどり着いて、俺は入口のベルを押す。でも反応はない。誰もいないんだろうと思ったけど、まあせっかくここまで来たんだからと、念のためにもう一回押してみる。そしてひとしきり待ってみて、これは駄目だと思って引き上げかけたときに、誰かがぞろぞろと脚を引きずりながらドアの方にやってくる音が聞こえる。誰だい、と年取った女の声が尋ねる。ロバート・グッドウィンを尋ねてきたんです、と俺は言う。『お前かい、ロバート?』と女は言う。そして十五個くらいの錠を外して、ドアを開ける。

少なめに見ても八十、ひょっとしたら九十歳くらいの女だった。最初に俺が気づいたのは、相手の目が見えてないってことだ。『お前が来てくれるって思っていたよ、ロバート』と彼女は言う。『クリスマスなんだもの、お前がエセルばあちゃんのことを忘れるはずがないってさ』。そして俺を抱きしめようとするみたいに両腕を広げる。俺にはろくすっぽ考える暇もなかった。わかるよな。俺はその場でぱっと何かを言わなくちゃならなかった。気がついたときには、自分がこう言っている声を耳にした。『そうだよ、エセルばあちゃん。クリスマスだから、会いに来たんだよ』。なんでそんなことを言ったのか、わけは聞かないでくれ。そんなこととても説明できんよ。たぶんばあさんをがっかりさせたくなかったんだろう。よく知らんけどさ。でもとにかく、そういうことになっちまったんだ。それでそのばあさんは、ドアの真ん前で、俺のことを有無も言わせずはしっと抱きしめたわけだ。こっちもちゃんと抱き返したよ。

厳密に言えば、俺は自分が孫だとはっきり口にしたわけじゃない。少なくともそういう言い方はしなかった。とはいうものの、含みを持たせたことはたしかだ。でもな、ばあさんをだまそうというつもりじゃなかった。それは二人で示し合わせてやっていたゲームみたいなものだったんだ。前もってルールも決めていないゲームだ。つまりさ、ばあさんも俺がほんとは孫のロバートじゃないってことはちゃんとわかっていたはずだ。たしかに年取って、耄碌《もうろく》してはいたけど、血肉をわけた身内と、あかの他人を見分けることができないほどぼけちゃいなかった。でもまちがえたふりをしていると、楽しい気持ちになれたんだ。そして俺だってとくにそれよりましなことも思いつけなかったから、進んで相手に調子を合わせることにしたわけさ。

そして俺たちは部屋の中に入って、二人で一日を過ごした。正直なところ、うちの中はまるでごみためだったよ。でもさ、目の見えない女が一人で家事をやっているんだ。どうしろっていうんだい。いろんなことを質問されて、俺は訊かれる端から嘘をついた。葉巻ショップでいい仕事をみつけることができたし、もうすぐ結婚もするんだと言った。百くらいの麗しい嘘をついたよ。彼女はその全部を信じているような顔をしていた。『それは良かったね、ロバート』とにっこり微笑んで、うなずきながら言った。『きっといろんなことがうまくいくだろうって、あたしはずっと思っていたよ』

少しして俺はけっこう腹が減ってきた。うちの中にはあまり食料品はなさそうだったんで、俺は外に出て、近所の食料品店であれこれと買い込んできた。調理済みのチキン、野菜のスープ、ポテトサラダのパック、チョコレートケーキ、なんだかんだいっぱい。エセルはベッドルームにワインを二本ばかり隠していた。そんな具合に俺たちは、二人で持ち寄るようなかっこうで、けっこうまともっぽいクリスマス・ディナーをこしらえたわけさ。二人ともワインでいくぶんいい心持ちになったと思うな。食事の終わったあと、俺たちはもっと座り心地のいい椅子のある居間に移った。俺は小便がしたくなって、ちょっと失礼と言って、廊下の先にあるバスルームに行った。そしてそこで、事態はまたまた新たなる展開を見せたってわけだ。エセルの孫のふりをするだけでもけっこうまともとは言えないことなんだけど、そのあとで俺がしでかしたことはもはや完全にクレイジーだし、それについちゃ今でも俺は自分を許せずにいるんだ。

俺がバスルームに入ると、シャワーのとなりの壁に、六台か七台のカメラが積んであるのが目につく。新品の35ミリのカメラだ。まだ箱に入ったままの最高級品だ。こいつは本物のロバートの仕業だなと俺は踏んだ。最近の盗みの成果をここに隠しているんだなと。俺はそれまで一度も写真を撮ったことはないし、盗みを働いたこともさらさらない。でもバスルームにカメラが積み上げてあるのを目にしたとき、これをひとつ自分用にいただいていこうと思う。ただそれだけのこと。ちらっとも迷わなかったね。箱をひとつ、小脇に抱えて、居間に戻る。

俺は三分も居間を離れていなかったはずだ。でも居間に戻ったときには、エセルばあちゃんは椅子の中でもう眠り込んでいた。キャンティ・ワインを飲み過ぎたんだね、きっと。俺は台所に行って汚れた皿を洗った。でもそんな具合にばたばたやっているあいだもずっとばあさんは眠りこけていた。まるで赤ん坊みたいに寝息を立ててさ。わざわざ起こす理由もなかったから、俺は引き上げることにした。メッセージを残すこともできない。だって目が見えないんだもの。俺はそのまま黙って失礼した。孫の財布をテーブルの上に置いて、カメラをまた手に取り、部屋を出た。それで話はおしまい」

「そのあと彼女に会いに行かなかった？」と僕は質問した。

「一度だけ」と彼は言った。「三カ月か四カ月あとのことだけど。盗んだことがどうにも後ろめたくてカメラは使いもしなかった。だから思い切って返しに行くことにしたんだ。でもエセルはもうそこにはいなかった。彼女がどうなったのか、俺にはわからん。でも部屋には新しい住人が住んでいたが、その男はエセルの行き先は知らないということだった」

「死んだのかもしれない」

「かもしれん」

「そうすると、彼女は最後のクリスマスを君と過ごしたということになるね」

「そうなるな。そんなふうに考えたことはなかったけど」

「それは善き行ないだよ、オーギー。君は善いことをしたんだ」

「俺はばあさんに嘘をついて、それから彼女のものを盗んだ。どうしてそれを善き行ないと呼べるんだい？」

「彼女を幸福な気持ちにした。それにカメラはどうせ盗品だった。盗んだ相手は正当な所有者ではなかったということになる」

「芸術のためならば手段は選ばず、ということかい、ポール？」

「そこまでは言わないけどさ、とにかく君はそれを善き目的のために使っているじゃないか」

「そしてあんたは自分のためにクリスマス・ストーリーをひとつ手に入れた、ということになるのかな？」

「イエス。そのようだ」と僕は言った。

僕は一呼吸置いて、彼の顔いっぱいにいたずらっぽい笑みが広がっていく様子を仔細に眺めていた。もちろん断言はできない。しかし彼の目はそのときすごく謎めいて光ったし、内なる喜びの輝きみたいなもので満たされていた。そのときにはっと思ったのだ。ひょっとしてこれはみんな彼の作り話じゃなかったのかと。もう少しで僕は面と向かって尋ねてみるところだった。おいおい、まさか僕をかついでいるんじゃないよねと。でも尋ねたところで、この男が真実を打ち明けるわけがない。だいたい僕はそれまですっかり真に受けて話に聞き入っていたわけだし、大事なのはそこのところなのだ。信じる相手が一人でもいるかぎり、どんな話だって真実になる。

「たいした男だよ、あんたは」と僕は言った。「僕を助けてくれてありがとう」

「どういたしまして」と彼は言った。僕を見る彼の目にはまだマニアックな光が宿っていた。「要するにだね、秘密を分かち合えない親友なんて、親友として何の役に立つっていうんだい」

「ひとつ借りができたようだ」

「違うね。俺が話したまま文章にしてみてくれ。それで貸し借りはなし」

「昼飯代はべつにして」

「そのとおり。昼飯代はべつにして」

僕はオーギーの笑顔に、笑顔で答えた。それからウェイターを呼んで勘定を頼んだ。


（訳しおろし）

ポール・オースター

オーギー・レンのクリスマス・ストーリー

柴田元幸訳

私はこの話をオーギー・レンから聞いた。オーギーはこの話のなかで、あまりいい役を演じていない。少なくとも、オーギー本人にとって願ってもない役柄とは言いがたい。そんなわけでオーギーからは、俺の本名は出さないでくれよな、と頼まれている。それをべつにすれば、落ちていた財布のことも、盲目の女性のことも、クリスマス・ディナーのことも、すべて彼が私に話してくれたとおりである。

私がオーギーと知りあって、かれこれ十一年近くになる。彼の仕事場はブルックリンの繁華街、コート・ストリートにある葉巻店のカウンターである。私が好んで喫っている小さなオランダ葉巻を置いているのはこの店一軒なので、いきおいここには足しげく通うことになる。はじめの何年かは私も、オーギー・レンのことを特に気にとめていたわけではない。彼はフードつきの青いトレーナーを着た風変わりな小男であり、私に葉巻と雑誌を売ってくれる人物である。天気やメッツやワシントンの政治家連中をネタに何かと気のきいたことを言う、頭の回転の速い、茶目っ気のある男である。それだけのことだった。

ところが、何年か前のある日、オーギーが店の雑誌をぱらぱらめくっていたときのこと、私の本の書評がたまたま彼の目にとまった。それが私だとわかったのは、書評には私の写真も添えてあったからである。それ以来、私たちの関係は一変した。オーギーにとって、私はもはや単なるその他大勢の客ではなかった。私は一人の名士になったのである。たいていの人は、本だの作家だのと聞いても、そんなもの犬も喰うかという顔しかしない。でもオーギーは違っていた。というのも、彼は自分を芸術家とみなしていたのだ。私の正体が解明されたいま、彼は私を同胞として迎え入れた。親密な話し相手として、戦友として。正直言って、私としてはいささかありがた迷惑な話だと思った。やがて、やっぱり来たかという感じで、俺の写真を見てみないか、とオーギーが持ちかけてきた。見せたくてうずうずしている様子だし、むろん悪気もない。どうにも断われそうになかった。

どんなものを見せられることになると思っていたのか、自分でもよくわからない。はっきり言えるのは、とにかく翌日オーギーが見せてくれたようなものは予想していなかったということだ。店の奥の、窓もない狭い部屋でダンボール箱を開けた彼は、みな同じ外見の黒いアルバムを十二冊取り出した。これが俺のライフワークなんだよ、と彼は言った。一日に五分とかからないけどね。過去十二年間、彼は毎朝欠かさず、七時きっかりにアトランティック・アベニューとクリントン・ストリートの交差点に立ち、まったく同じ場所を一枚ずつカラー写真に撮りつづけてきたのである。いまやその作品は四千枚以上に達していた。アルバム一冊にそれぞれ一年分の仕事が収められ、一月一日から十二月三十一日までの写真がきちんと順番に並んで、その一枚一枚の下に、几帳面な字で日付が書き込んであった。

私はそれらのアルバムをぱらぱらとめくって、オーギーの作品をしげしげと眺めた。どう考えるべきなのか、私にはまるでわからなかった。私の第一印象は、こんなに奇妙な、こんなに訳のわからない代物を見たのは初めてだ、という思いだった。何しろ、どの写真も同じなのだ。作品全体が、これでもか、これでもかと迫ってくる、目もくらむほどの反復にほかならなかった。同じ道路、同じ建物が、何度も何度も出てくる。重複する写像が、容赦なく、幻覚のように押し寄せてくる。言うべき言葉も思いつかないので、私はなおもページをめくりつづけながら、さもわかったような顔でうなずいていた。オーギー本人はといえば、いっこうにそわそわする様子もなく、満面に笑みを浮かべて私を眺めている。が、写真を見はじめて何分か経った時点で、彼は突然口をはさんだ。「それじゃ速すぎる。もっとゆっくり見なくちゃわからんよ」

たしかにそのとおりだ。じっくり時間をかけて見るのでなければ、何も見えてはこない。私はもう一冊のアルバムを手に取り、もっと丹念に進むよう自分に言い聞かせた。細部にもっと注意を払い、気候の変化にも留意し、季節が移るにつれて光の角度が変わっていく様子にも気をつけた。するとじきに、車の流れの微妙な違いがわかるようになり、一日一日のリズムのようなもの（平日の朝の喧噪、それに較べての週末の静けさ、土曜と日曜のあいだの対照）も予測できるようになった。やがて、少しずつ、背景にいる人々の顔が見分けられるようになった。勤め先へ向かう通行人たち。毎朝同じ人が同じ場所を通って、オーギーのカメラの視野のなかで、それぞれの人生の一瞬を生きている。

人々の区別がつくようになると、つぎに私は、彼らの姿勢に注目した。毎朝の彼らの歩きぶりを吟味し、表に現われた特徴から、その胸のうちを推し測ろうとした。私はだんだん、自分が彼らの物語を想像できるような気になっていった。彼らの肉体のなかにとじ込められた、見えないドラマに到達できるような気になっていった。私はもう一冊のアルバムを手に取った。もはや退屈ではなかった。もう最初のようにとまどってはいなかった。私にはわかったのだ。オーギーは時間を撮っているのである。自然の時間、人間の時間、その両方を。世界のちっぽけな一隅にわが身を据え、それをわがものにすべく自分の意志を注ぎ込むことによって。みずから選びとった空間で、見張りに立ちつづけることによって。作品に見入っている私を眺めながら、オーギーは相変わらず、上機嫌ににこにこ笑っている。と、まるで私の思考の流れをさっきからずっと読みとっていたかのように、彼はシェークスピアの一節を暗唱しはじめた。「明日、また明日、また明日」と彼は呟くように言った。「時は小きざみな足どりで一日一日を歩む」。そう、自分がやっていることの意味を、オーギーは完璧に把握しているのだ。

それ以来、すでに二千枚以上の写真が撮られた。オーギーと私は、あの日以来何度も、彼の作品について話しあってきた。けれども、そもそも彼がどういういきさつでカメラを手に入れ、写真を撮るようになったのか、それを知ったのはつい先週のことである。彼がしてくれた話というのが、まさにそのことをテーマにしていたのだ。そして私の方は、その話の意味を捉えようと、いまも頭をひねっている最中なのである。

先週のはじめに、ニューヨーク・タイムズの記者が私に電話をかけてきて、クリスマスの朝刊に載せる短篇を書かないかと言ってきた。私は最初、特に考えもせずに断わったのだが、その記者というのがなかなか感じのいい男で、しかも粘り強かった。かくして、会話が終わった時点で、私はその男に、とにかくやってみます、と返事をしてしまっていた。電話を切ったとたん、私は激しいパニックに陥った。クリスマスについて、いったい私に何がわかるというのか？　そもそも、注文に合わせて短篇を書くなんていう仕事について、私に何がわかるというのか？

その後の数日を、私は絶望に包まれて過ごした。ディケンズ、O・ヘンリ、その他もろもろの、キリスト生誕の日をめぐる作品を残した先達たちの幽霊と格闘を続けながら。そもそも私にとっては、「クリスマス・ストーリー」という言葉そのものが不快な連想を伴っている。お涙頂戴の、甘ったるい、嘘でかためた代物があふれ出てくる感じ。どんなによくできた作品でも、クリスマス・ストーリーとはしょせん、願望充足の絵空事、大人のためのおとぎ話にすぎない。そんな話を自分が書くなんて、冗談じゃない。といって、センチメンタルでないクリスマス・ストーリーを書こうなどと思う人間がどこにいるだろう？　そんなものは自己矛盾である。とうていありえない、掛け値なしの自家撞着である。脚のない競走馬、羽根のない雀を想像する方が、まだしも楽というものだ。

仕事はいっこうに進まなかった。木曜日になり、外気に触れて頭をすっきりさせようと、私は長い散歩に出かけた。ちょうど正午を過ぎたあたりに、葉巻を補充しに葉巻店に立ち寄った。いつものように、オーギーがカウンターの向こうに立っている。どうだい、元気かい、と彼は私に訊いた。べつにそういうつもりはなかったのだが、気がつくと私は、自分の悩みをオーギーに向かって洗いざらい打ち明けていた。「クリスマス・ストーリー？」私が話し終えると彼は言った。「それだけのことかい？だったら俺に昼飯をおごってくれたらさ、わが友よ、あんたに最高のクリスマス・ストーリーを聞かせてやるよ。それも、隅から隅まで実話って保証つきのやつだ」

我々は店を出て、ジャックスに出かけていった。ジャックスは狭苦しく騒々しい食堂で、パストラミサンドが美味く、昔のドジャースの写真が壁に並んでいる店である。我々は奥の方のテーブルに座って、食事を注文した。それから、オーギーが物語を語りはじめたのである。

「七二年の夏だった」と彼は言った。「ある朝、一人の小僧が店に入ってきて、品物をかっぱらいはじめたんだ。歳は十九か、二十ってとこだな。とにかく、あんなに下手くそな万引きは見たことないね。店の手前の壁ぎわに置いた、ペーパーバックのラックの前に立ってさ、レインコートのポケットに片っ端から本をつっ込んでるんだ。ちょうどその時はカウンターのまわりに客が大勢いたんで、俺もすぐには気がつかなかった。でも、万引きだ、とわかったとたん、俺は大声でわめいたね。そしたら奴は、脱兎のごとく逃げ出した。俺がようようカウンターから出たころには、もうアトランティック・アベニューをすたこら走ってた。俺は半ブロックくらい追いかけて、それであきらめた。小僧の奴、逃げる途中で何か落としていってね。俺ももうそれ以上走る気がしなかったから、何だろうと思って、しゃがんで見てみた。

それは小僧の財布だった。金は一銭も入ってなかったが、運転免許証と、写真が三、四枚あった。こっちがその気になれば、警察に電話して、奴を逮捕させることもできたろうな。免許証に名前も住所も書いてあるんだからね。でも俺は、その小僧が何となく可哀想に思えたんだよ。どうせそこらのケチな不良なわけだろ、写真を見てるうちに、怒る気も失せちまってさ。ロバート・グッドウィン。それがそいつの名前だった。一枚の写真では、たしかそいつが、お袋さんだか祖母《ばあ》さんだかの肩に腕をまわして立っていた。べつの写真では、九つか十のころのそいつが、野球のユニホームを着て、にこにこ笑って写ってた。とてもじゃないけど、気の毒でね。いまじゃおおかたドラッグ漬《づ》けになっちまってるんだろうし。ブルックリンの貧乏人の家に育って、先の見通しだって明るいわけない。アホなペーパーバック二冊や三冊、どうだっていいじゃないか？

というわけで、俺はその財布を手元に置いといた。ときどき、小僧に送り返してやろうかなっていう気になることもあったけど、結局ずるずる何もしなかった。そうこうするうちに、クリスマスが来た。ところが俺は何もすることがない。いつもなら店のオーナーが家に呼んでくれるんだが、その年は家族を連れてフロリダの親戚のところに出かけちまったんだ。それで俺は、クリスマスの朝だってのに、アパートでぶらぶらしてた。そのうちに何だか、自分が哀れになってきてね。で、ふっと台所の棚を見ると、ロバート・グッドウィンの財布がそこにある。そこで俺は考えた。ま、この際だ、たまにはいいことをしようじゃないか、とね。それでコートを着て、財布を返しに出かけた。

住所はボーラム・ヒルと書いてあった。団地が並んでるあたりだよ。凍てつくように寒い日だってのに、めざす建物が見つかるまでに何度も迷子になった。ああいう団地って、何もかもおんなじに見えるんだよな。違う場所に出たと思っても、実は同じところをぐるぐる回ってたりする。まあとにかく、やっとのことで目当てのドアにたどり着いて、呼び鈴を押した。反応なし。留守かな、とも思ったけど、念のためってこともあるから、もういっぺん押してみた。しばらく待ってみて、やっぱり駄目かと思った矢先に、誰かがのそのそとドアの前にやって来るのが聞こえる。年寄りの女の声で、どなたです、って訊くから、ロバート・グッドウィンを探してるんです、と答えた。『お前かい、ロバートや？』と婆さんは言った。そして、十五はあるんじゃないかっていう鍵を一つずつ外して、ドアを開けてくれた。

この婆さん、どう見ても八十は行ってたね。ひょっとして九十に届いてるかな、っていうくらいでさ。で、まず気がついたのは、婆さんの目が見えないってことだった。『きっと来てくれると思ってたよ、ロバートや』と婆さんは言った。『わかってたんだよ、お前がクリスマスの日にエセル祖母ちゃんを忘れるわけないもの』。そして婆さんは、俺を抱きしめようとするみたいに、両腕を広げた。

俺にはゆっくり考える時間はなかった。わかるだろ、とにかくとっさに何か言わなきゃならない。で、自分でも何がなんだかよくわからないうちに、言葉が勝手に口から飛び出していたんだ。『そうだとも、エセル祖母ちゃん』と俺は言った。『クリスマスだもの、祖母ちゃんに会いに帰ってきたんだよ』。何でそんなこと言ったんだ、なんて訊かれても困る。俺だって見当もつかないもの。ひょっとして、年寄りをがっかりさせちゃ悪いとか、そんなふうに思ったのかもしれん。どうなんだろうな。とにかくそういうふうになっちまったんだよ。もう次は、婆さんがその場で俺をひしと抱きしめる、俺も婆さんを抱き返す、てな具合になっていた。

俺はべつに、自分がその婆さんの孫だってはっきり認めたわけじゃないぜ。少なくとも、言葉に出して、そうだよ、俺はあんたの孫だよ、なんて言っちゃいない。まあ何となくそういう雰囲気はあったけどな。といって、婆さんをだます気でいたわけでもない。言ってみりゃ、俺たち二人でゲームをやることに決めたみたいなものさ——ちゃんとルールまで相談したわけじゃないけどね。つまりだな、婆さんだって、俺が孫のロバートじゃないってことくらい、ちゃんとわかってたんだよ。そりゃあ相当な歳だし、けっこうボケてもいる。だけど、赤の他人と肉親が区別できないほどボケちゃいなかったよ。要するに、孫が来てるふりをするのが楽しかったんだな。となれば、俺だってどうせほかにすることもない。いいでしょう、そういうことならこっちも話を合わせましょう、そう思ったわけだよ。

というわけで、俺たちはなかに入って、その日一日を一緒に過ごした。こう言っちゃ何だけど、とにかくおそろしく汚ないとこでね。ま、向こうは目の見えない婆さんの一人暮らしだ、きちんと掃除しとけったって無理な相談だよな。こっちの近況を婆さんにあれこれ訊かれるたびに、俺は嘘をでっち上げた。うん、葉巻の店に職が見つかってね、いい仕事だよ。うん、今度結婚することになったんだ。とかなんとか綺麗ごとを並べたら、向こうも全部信じてるふりしてさ、『よかったねえ、ロバート』って言うんだ。うんうんうなずいて、にこにこ笑って。『わかってたんだよ、お前のことだもの、きっといつかうまく行くはずだって』。

しばらくすると、俺は腹が減ってきた。家のなかにはろくに食べ物もなさそうだったから、近所の店に行って、食料を調達してきた。ローストチキン、野菜スープ、ポテトサラダ、チョコレートケーキ、何やかやと買い込んできた。婆さんはベッドルームにワインを二本ばかりしまい込んでて、結局けっこうまともなクリスマス・ディナーということに相成った。二人ともほろ酔い加減になってさ、食事が済むと、居間の方が椅子がいいっていうんで、そっちへ移ってどっかり座り込んだ。小便がしたくなったんで、俺はちょっと失礼と言って、廊下の先のトイレに行った。そこで話がまた変わったんだよ。婆さんの孫のふりをするってだけでも十分普通じゃないけど、つぎに俺がしでかしたことは、もうまるっきり狂気の沙汰だ。あんな真似を自分がやったことが、俺はいまだに許せない。

俺はバスルームに入っていった。と、シャワーの横の壁に、カメラが六台か七台積み上げてあるじゃないか。新品の35ミリカメラが、箱に入ったまんま。とびっきりの高級品だ。ははあ、こりゃ本物のロバートの仕業だな、と俺は考えた。新しい獲物を、ひとまずここに隠しておくってわけか。俺は生まれてこのかた写真なんて撮ったことがなかったし、もちろん盗みを働いたことだってない。ところがだ、そのバスルームに積んであるカメラを見たとたん、俺は決めたんだ、こいつを一つ頂戴しよう、とね。一目見て、あっさりそう決めたんだ。それで、もう何も考えずに、カメラの箱を一つ脇に抱えて、居間に戻っていった。

俺がトイレに行ってた時間は、三分にもならなかったと思う。でもそのあいだにエセル祖母ちゃんは、椅子に座ったまんま眠りこけてた。キャンティの飲み過ぎってわけだな。俺は台所に行って、皿を洗った。がしゃがしゃ音が立ったけど、婆さんはずっと、赤ん坊みたいにすうすう寝息を立ててる。わざわざ起こしたってしょうがない。そこで俺はもう帰ることにした。さよならってメモを残していくわけにもいかない。何しろ相手は目が見えないんだからね。だから、何もせずにあっさり立ち去った。婆さんの孫の財布をテーブルの上に置いて、カメラを抱えて、部屋から出ていった。それで話はおしまいだ」

「婆さんにはまた会いに行ったの？」と私は訊ねた。

「いっぺんだけ」とオーギーは言った。「三カ月か、四カ月経ってからだ。カメラを盗んだことで、自分でもすごく気分が悪かったんだ。だからまだ使ってもいなかった。で、ついに意を決して、返しにいったわけさ。でも婆さんはもうそこにいなかった。どうなったかはわからない。もう別の人間が越してきていて、訊いてみたけど、どこへ行ったか知らないって言われた」

「たぶん亡くなったんだね」

「ああ、たぶんな」

「ということはその婆さんは、最後のクリスマスをあんたと一緒に過ごしたわけだ」

「てことになるんだろうな。そういうふうに考えたことはなかったけど」

「いいことをしたじゃないか、オーギー。あんたは婆さんに、すごくいいことをしてやったんだよ」

「俺は婆さんに嘘をついた、婆さんのところにあった物を盗んだ。そんなののどこがいいことなのかね」

「婆さんに楽しい思いをさせてやったじゃないか。だいいち、カメラはもともと盗品だったんだろう。向こうだって本当の持ち主というわけじゃなし」

「芸術のためなら何でも許されるってやつかい、ポール？」

「そういうことじゃないよ。でもとにかく、あんたはカメラをちゃんと有効に使ってる」

「そしてこれで、あんたもクリスマス・ストーリーを手に入れた、だろ？」

「うん」と私は言った。「どうやらそうみたいだな」

私はちょっと黙って、オーギーの顔に、いわくありげな笑みが広がっていくのを見つめた。たしかなことはわからない。でも、その瞬間彼の目に浮かんだ表情は、何とも意味深長に見えた。何かひそかな悦びをたたえて、ぎらぎら輝いているように見えた。私ははっとした。もしかしたら、何もかもオーギーのでっち上げじゃないだろうか？　おい、僕をかついでるのか、そう問いつめてみようかとも思ったが、やめにした。どうせまともな答えが返ってくるはずはない。まんまと罠にはまった私が、彼の話を信じた――大切なのはそのことだけだ。誰か一人でも信じる人間がいるかぎり、本当でない物語などありはしないのだ。

「恩に着るよ、オーギー」と私は言った。「あんたは救いの神だ。本当にありがとう」

「お安いご用だって」と彼は私を見つめたまま言った。その目には、相変わらずぎらぎらと狂気じみた光が浮かんでいる。「何てったって、秘密をわかちあえないようじゃ、友だちとは言えんだろ？」

「じゃこっちも何か打ち明けなくちゃな」

「いや、それには及ばん。いまの話を、俺があんたに喋ったとおりに書いてくれればいい。それで貸し借りなしだ」

「昼飯のおごりをべつにすればね」

「そのとおり。昼飯のおごりをべつにすれば」

オーギーの笑顔に、私も笑顔を返した。そして私はウェイターに声をかけ、勘定にしてくれと頼んだ。


新潮文庫『スモーク&ブルー・イン・ザ・フェイス』より

フォーラム3　若い翻訳者たちと

二〇〇〇年五月十八日、若い翻訳者六名と、先のカーヴァー、オースター作品の翻訳を中心に第三回のフォーラムを行なった。出席者は次のとおり（順不同）。

岸本佐知子（A）
坂口緑（B）
畔柳和代（C）
都甲幸治（D）
前山佳朱彦（E）
岩本正恵（F）

“Collectors”の「僕」と「私」

柴田　今日はいままで二回のフォーラムを踏まえて、まあ上級編というわけでもないんですけど、すでに訳書のある翻訳者の方にお集まりいただいて、別の角度から質問をしていただこうと思います。皆さんにはあらかじめ、前二回のフォーラム原稿のほか、今回のセッションのために作成した村上訳ポール・オースター「オーギー・レンのクリスマス・ストーリー」と、柴田訳レイモンド・カーヴァー「集める人たち」と、既訳の柴田訳オースターと村上訳カーヴァー（タイトルは「収集」）、それに二作の原文をお渡ししてあります。

村上　まず最初に僕の訳したレイモンド・カーヴァーの“Collectors”について、少しお話ししておきたいと思うんです。

僕がこの“Collectors”を訳したのは、『頼むから静かにしてくれ』の翻訳が刊行されたのが一九九一年だから、おそらく一九九〇年くらいだったと思います。ということはだいたい今から十年くらい前ということになりますね。そのあと『カーヴァーズ・ダズン』という選集に入れたときに、読み直してみて、気になったところを何カ所か手を入れて訳し直したんです。それが五年くらい前かな。それで今回また読み返してみたんだけど、「今だったらこうは訳さないな」と感じたところが何カ所かありました。だから五年くらいで翻訳の方針とか文体もいくぶん変わるものなんだなと、そういうことを改めて実感しました。

「今だったら」というのを細かいところであげていくと、「彼が」というのが多いですね。これはたぶん、わりに意識してそうやったのかなという気はするんです。訳した時点では、そういう即物的な方向に引かれる傾向が僕の側にあったのかもしれない。それから過去形でけっこう突っ張っていますよね。この前の柴田さんとの話にも出てきたことですけど、僕はわりに自然なかたちで過去形のあいだに現在形をちょこちょこと混ぜていくんだけど、ここではほとんど混ぜていないです。ただ、ここまであえてやらなくてもよかったなという気もしないではないですね。

あと、ちょっと表現が変というのが何カ所か目につきました。ごりごりしているというか。でもこれもただ単に結果的にそうなっちゃったのか、あるいは意識的にそういうふうにしたのか、今となっては思い出せないですね。

柴田 これは、カーヴァーの作品の中でも特に奇妙ですからね。

村上 文体はリアリズムなんだけど、かなりシュール・レアリスティックな話になっていますね。

柴田　だからかなり意図的になさった可能性が高いですね。

村上　かもしれないですね。ただし、僕が今これを訳すとしたらちょっと違うふうになるだろうなという感じがしますね。即物的で不条理なカーヴァーの側面というのはたしかにあるんだけど、また別のあけっ広げの側面も同時存在的にあるわけであって、重心が一方にちょっと移りすぎるきらいもあったかもしれないと。このあたりはまだ編集者のゴードン・リッシュの手が少なからず入っていますよね。時期的に言ってもね。

柴田　そうですね。ゴードン・リッシュはカーヴァー作品を即物的な方向に直しがちですからね。まあそうはいっても、訳すときにいちいち、このへんはリッシュの仕業らしいからちょっと臭みを抜こうとか、そんなこと判断できるわけないから、僕としては今回、とにかくもうこれが定まったテキストなんだと思って訳しました。そうするとやっぱり、そういう言葉を思い浮かべてはいなかったけど、即物的な感じに訳そうという気はありましたね。要するに、何か人間らしさが抜けているでしょう、この主人公。

村上　そうですね。

柴田　非人間的、というんじゃないんだけど、いってみれば無人間的というか。で、逆にモノのほうが生命感があったりして。そういう点は意識しました。

村上　あともうひとつ、僕がこれを訳したときに、ずいぶん気になったことは覚えているんだけど、人称の問題ですね。「僕」にするか、「私」にするかという問題、これはものすごく悩んだ覚えがあるんですよ。それだけは覚えている。でも結局「僕」にしちゃったんですよね。というのは、「私」だと、はまりすぎるような気がしたんです。だからあえてここは「僕」にしたんだろうなという気はするんですよ。普通の人だと、八〇パーセントから八五パーセントぐらいは「私」でいくんじゃないかな。この話はね。

柴田　僕はたぶん、「僕」にすると、肉声的になるから……要するに「僕」のほうが「私」より色がありますよね。で、なるべく色なし、人間性なしでいきたかったので、本当は、だから何も書かないのがいちばんいいんだけど、さすがにそうもいかないので仕方なく「私」にしたっていう感じですね。

村上　変な話だけど、失業者に「僕」って使うと、あまりよくないんですよね。

柴田　どうしてですか?

村上　わかんないけど、失業者は「僕」じゃいけないんです（笑）。

柴田　……どう答えていいかわからない（笑）。

村上　というのは、『ねじまき鳥クロニクル』という本を書いたんですが、主人公は失業してるんです。その冒頭のシーンで、彼は昼食にスパゲッティを作っている。で、文芸評があって、失業者がスパゲッティを作っちゃいけないって批判された（笑）。僕は知らなかったんだけど、失業者はやっぱり失業者のイメージを守らなくちゃいけないんですね。「僕」という人称は一般的に失業者になじまないと思われるところがあるかもしれない。だからあえて「僕」にしたということはあります。

出席者C　スパゲッティじゃなくて、何だったらいいんですか？

柴田　ラーメンならいいんだな。

村上　ラーメンだったらオーケーです。鴨南じゃいけないと思うけど。

あと、ポール・オースターのほうも、ちょっと迷ったんですけどね。これは、柴田さんはたぶん「私」だろうと……。

柴田　あたりましたね。

村上　僕はこれについてはどっちでもよかったような気がするけどね。読み直してみたら、ずうっと「僕」できて、一カ所、「私」になっているところがあったんですよ。それはなぜかというと、僕は前半「僕」で訳して、後半を訳したときに、間違えて「私」で訳しちゃって、全部あとで書き直したんですね。それで一カ所消し忘れちゃった。それぐらいだから、べつに「僕」でも「私」でもどっちでもいいと思う。そんなにブレはない、ということです。

出席者A　これは、私だけなのかもしれないですけど、「私」ってされると、その作家の顔を考えちゃうということがあって……。

柴田　たとえば、"Collectors"だったら、カーヴァー？

出席者A　ええ。

村上　僕はそんなにカーヴァーの顔は考えないですね、不思議に。

柴田　僕はこの「私」、ほとんど僕自身だったな。こういうふうに、社会的にゼロになる話、けっこう惹かれるので（笑）。

村上　ところで、この“Collectors”のタイトルの訳については僕は迷ったんです。かなり含みを持ったタイトルだから。

柴田　カーヴァーのタイトルって、ちょっと無理がないですか。

村上　無理は相当ありますよ。そういう場合は多い。

柴田　無理があるのがまた味で、何か綺麗に、文字通りの意味と、シンボリックな意味が分かれるというようなタイトルではないですよね。どの登場人物に言及しているのかもはっきりしないけれども、全体としては何となく合っているかなという感じ。

村上　でもこの“Collectors”というタイトルについては、カーヴァーはかなり深いところで言葉をつかんでいるような気がします。それから僕は、これは人に限らないんじゃないかなという印象はすごくもったんですけどね。「集める人たち」というだけじゃなくて。

柴田　「集める物たち」という意味もあるということですね。ああ、なるほどね。そうすると、たとえば、掃除機なんかも入る？

村上　マットレスでも。

柴田　マットレスもね。そう、むしろそっちですね。そうすると、正しいタイトルは「集める人や物たち」（笑）。

村上　ただ、カーヴァーがそこまで考えたかどうか、僕はよくわからないですね。難しいところですよね、これは。

柴田　そうですね。そうやっていろいろ考えると、とにかく人だろうが物だろうが、まずは集めるという行為があるからということで、「収集」に落ち着くわけですね。

村上　というふうに、僕は落ち着いた記憶がある。

柴田　なるほど、よくわかりました。逆に同じカーヴァーでも、"Preservation" という短篇では、「保存されたもの」というふうにたしか訳されていますね。

村上　そうですね。

柴田　ま、あれは確かに「保存するもの」ではないからね。僕がタイトルをだいたいいつも直訳でやっちゃうのは、ほとんどそこには責任をもたない、というぐらいのスタンスなんですね。たとえば、小説を訳すときパラグラフは絶対に変えないというのと同じように。どう意訳してもある面は伝わるだろうけれども、ある面は絶対に失われるだろうから、それだったら字面に近いほうが偏りは少ないかな、というだけなんですね。

出席者A　この小説は、訪ねてくる変なオジさんについては、ある程度どういう風体とかありますけども、相手、語り手に関してほとんど情報がないですね。そういう場合……

村上　歳も恰好もぜんぜんわからないんですよね。

出席者A　翻訳学校なんかで教わるときは、出てくる人の歳だとか背景だとか、顔だとか、そういうのを想像しなさいみたいなことを言われるわけですけれども、こういう場合はどうすればいいのか。それとも、何も情報がないということが伝われればいいのか、そのへんはどう考えて訳されたのか、お二人にうかがいたいんですけど。

村上　まずそれは第一に、人称から変わってくるわけですよね。「僕」にするか「私」にするか、「俺」にするか。で、この話の場合、主人公の氏素性、年齢、容貌、教育程度、そういうのがほとんどわからないですよね。作者はぜんぜんそういうものを説明しようとはしない。カーヴァーの小説にはそういうのが多いんです。だから、そういう場合、どういうしゃべり方をするかということが、日本語に翻訳する場合はずいぶん大きい問題になってくるわけですね。それはもう、一発勝負なんですよ、本当にね。出会い頭でどういう立場をとるかということになっちゃって、考えだすとキリがないんで、僕はパッと見て、ああ、これはだいたいこういう感じだなと想像しちゃうんです。だから、僕がたぶんここで想像したのは、どちらかといえば肉体労働に近いほうで、三十代の始めくらいで……

出席者A　もちろん白人で、と。

村上　白人で、ということですよね。そうすると、自ずからしゃべり方も決まってくるんですよ。あまり丁寧なしゃべり方はしない、でも、荒っぽいしゃべり方もしないですね。ということは何か印象で直観的に決まっちゃって、深々と考えることはないですね。で、柴田さんの訳はそれで見ると、ちょっと違うんですね。柴田さんのはもう少しインテリっぽい感じがしますよね。

柴田　僕は肉体労働という感じはあまりしなかったですね。やっぱり「私」＝シバタで読んでたから（笑）。パッとしない知的労働者と思ったかな。

出席者A　でも、住んでる家はものすごくリアルな分、感じが伝わってくるなと思って。

村上　そうですね。そのへんの視線の見切りはすごくおもしろいな。Aさんはどういう感じをもちましたか、この主人公について。

出席者A　これは本当に全体がわからなくて……。でもやっぱりそうですね、今、村上さんがおっしゃったような、顔をあえて思い浮かべるなら……。ただ、肉体労働かどうかは……

村上　肉体労働というと強すぎるかもしれないけど、ある程度体を動かす仕事というくらい。

柴田　要するにプロフェッションというか、知的専門職ではないということですね。

村上　専門職じゃないですね。それからいわゆる本来的な「定職」に就いている人でもない。

柴田　それにこれ、「私」が語る一人称小説だから、その人の顔なんかが描写されないというのは、設定としても不自然ではないですよね。プラス、この人はもう人間として空っぽになっちゃっているという全体のテーマもあるから、この人の肉体性みたいなものはむしろ伝えちゃいけないともいえる。そういうのを訳者がイメージ豊かに思い描いて、さりげなく足してあげちゃうとしたら、それこそ小さな親切大きなお世話で。ま、訳しているときはそんなことを考えなくても、一行目から順に訳していけば、肉体性を付与するようなチャンスもないまま終わるけど。

小説を読んでいるときも同じことが言えるけど、あまり無理にイメージしてどういう人かを思い描いても、あまりまとまらなくて、逆に、イメージなんかまとめたくなくても、何かもう、高校のとき同級だったあのいやな奴の顔が出てくるとか（笑）、勝手になっちゃうこともけっこうあるでしょう。

出席者B　原文ではこの人がカーペットをRug Cityというところで買ってきたというようなことが書いてあって、たぶんこれはだだっ広い平屋の、カーペットがワーッと並んだお店なんだなってわかりますよね。お二人ともここは、「安売り店」と訳されていますね。

柴田　うん、それは、読者みんながBさんみたいに勘が働くとはかぎらないから、「ラグ・シティ」って書いただけでは「だだっ広い平屋の、何かカーペットがワーッと並んだお店」が浮かんでこないと思って、操作してるわけです。ラグ・シティって固有名詞だけど、たとえばマクドナルドは固有名詞だけど限りなく普通名詞に近いのと同じで、たぶんすごく普通名詞的な、無個性の印みたいなものだと思うんですよね。カーヴァーの場合特にそうですけど、固有名詞が出てきても、限りなく普通名詞に近いことが多い。ジム・ビームを買って飲むとかいっても、ジム・ビームというのは、その人の趣味とか個性を表わしているのではなくて、要するにそこら辺で売っている酒ということでね。個性の不在を伝えているわけです。そういうのが、翻訳だと、その固有名詞が人物の個性を伝えているように読めちゃうんじゃないかと心配で、場合によっては普通名詞に直しちゃうこともあるわけです。Rug Cityを「安売りの店」にしたのもそういう配慮です。勘のいい読者には、これも大きなお世話ですが。

出席者D　そのままもってくると、妙にお洒落になっちゃうことがありますよね。ピックアップトラックなんて、日本ではお洒落になっちゃいますよね。

柴田　うちのマンションにあるんですよ、ピックアップトラック。アメリカ製のあのドーンと平べったいやつ。

編集者　それはほんとにお洒落なのね、きっと（笑）。

柴田　ええ、たしかにお洒落に見えるんです、大田区南六郷のマンションの駐車場という文脈だと（笑）。

村上　今ちょっと思ったんだけど、そういう安物のカーペットを買ってくるクラスというのは、労働者階級でも考えられるけど、たとえば地方の私立大学の、まだテニュア（終身在職権）をとっていない助教授みたいな線も考えられるんですね。

柴田　うん、考えられますね、それは。

村上　となると、これはぜんぜん違いますよね、クラスとして。

柴田　ええ。ただまあ、助教授にしてはボキャ貧かな。人のことは言えないけど（笑）。カーヴァーはそのへんすごく禁欲的ですね、キャラクターが使いそうもない言葉は絶対使わないという点で。

良いバイアス・悪いバイアス

柴田　前のフォーラムで出た「偏見のある愛情」の話に戻りますけど、僕は前からその表現をうかがっていて、人はダメだと言っても僕はいいと思える、という意味なのかなと思っていたんですけど、それとは違うんですか。

村上　それもありますけどね。一種のバイアスというか……。僕は翻訳というのは、基本的には誤解の総和だと思っているんですね。だから、一つのものを別の形に移し換えるというのは、ありとあらゆる誤解を含んでいるものだし、その誤解が寄り集まって全体としてどのような方向性を持つかというのは、大事なことになってくると思うんですよね。僕は、そういう方向性というのを「偏見」という言葉である程度置き換えちゃっているわけで、偏見という言葉はあまりよくないんだけれど……。いろんな誤解があって、たとえ誤解の総量が少ないにしろ、そのひとつひとつの誤解がそれぞれ違う方向を見てたら、できた翻訳というのは、あまり意味がないと僕は思うんですよ。だから、たとえ偏見のバイアスが強くても、それが総体としてきちっとした一つの方向性さえ指し示していれば、それは僕は、翻訳作品としては優れているというふうに思うんですよ。音楽の解釈・演奏と同じですね。

柴田　なるほど。「方向性」ということをうかがって大変よくわかりました。では、バイアスという意味で言うと、村上さんのいままで訳された作家の中で、いちばん愛情に偏見があるのは誰ですか？

村上　僕はそういうふうにはなるまいと意識して考えていたけど、カーヴァーについて言うと、今のところ僕が優先的に訳しているんで、できるかぎり標準的な翻訳にしたいと思っているけど、僕のカーヴァーというのは、やっぱり結果的に僕のバイアスがかかっちゃうんだろうな。

出席者E　なるほどね。僕は圧倒的にスティーヴン・ミルハウザーですね。

柴田　売れないからということもあるんですよね（笑）。

出席者D　いや、最近やっと少し売れてきたんだよ（笑）。

出席者D　バイアスのお話が出ましたが、良いバイアスを維持するという問題があると思うんですよ（笑）。やっぱりみんながいやになるようなバイアスと、みんなが入っていけるようなバイアスがあると思うんですけども。良いバイアスを維持するために何か……っておかしいですか。

村上　でもそういうことについて考えるのは、はっきり言って、かなりプロになってからの話ですよね。それまではそこまで考えているような余裕はないと思うし、僕自身も考えている余裕はなかったですよね、最初のうちは。で、あるところまで来て、台地みたいなところに出て、そこに立ったところで周りを見まわして、「あ、そうか、そういうことだったんだな」っていうふうにハッと思うけれど、それまではもう、自分がズルズル落ちないようにしがみついて這い上がるのに精一杯で、そんなややこしいことまで考えている暇はなかったですよね。でも、自分を確立していくためにいちばん大事なのは、自分の文体を作っていくということ。で、文体ができたというのは、バイアスがかかったということなんだよね、要するにね。そうするとわかるんですよね。

柴田 その文体というのは、作家村上春樹の文体ということではなくて……

村上 そうじゃなくて、翻訳というシステムの中での自立した文体ということです。

柴田 じゃあ、一つひとつの作品についての文体？

村上 基本的にはそうです。でも文体を作るというか、安定させるまでというのはやはり時間がかかるし、その間はもう本当に五里霧中というか、そういう状態だと思うんですよね。柴田さんは、駒場で教えていらっしゃるときは、「バイアスは絶対にかけるな、ニュートラルに行け」というのがまず基本方針ですよね。

柴田 でも、作品によっては、おもしろいバイアスならいいっていうことは言いますけど。特に詩を訳すときなんかは。

村上 でも基本的には……

柴田 基本的にはもちろんそうですね。あとまあ、学部一、二年生だと、うまい人はうまいけど、たいていはどうやって答案口調、受験生文体から抜け出すかが最大の課題だから。

村上 でも、大学院のクラスに行くと、ある程度、自分の色というものを出していかなくてはいけないというスタンスになるわけですか。

柴田 大学院では翻訳の授業はやらないので、そこはつなげてお話しできないんです。ただ、訳すことじゃなくて読むことについていえば、僕にとって、学部生でも院生でも、学生がよく読めるようになるというのは、お腹のあたりにもともと潜在しているその人のバイアスが、そのまま言葉として出てくるようになるということなんですよね。余計な紋切り型や正解に回収されてしまわずに。それまでは、客観的にはいちおう正しいといえそうな、でも人を退屈させるようなことを言ったり書いたりしていた人が、だんだん自分の、村上さんがおっしゃるような意味での「偏見」を出していくというのが、僕から見た「よく読めるようになる」ということです。それは翻訳にも通じるところがあると思います。

村上　それからやっぱりプロになって、自分のある種の文体とかスタイルを確立する段階というのがあると思うんですよ。そこまでいくには何が正しいバイアスかって、それは僕にもわからないですね。それはもうある種の文学観とか生き方とか、そういうものが関わる問題になってくるからね。

出席者D　自己表現の話がけっこういままでのフォーラムに出てきてたんですけども、村上さんのお仕事をいろいろ拝見させていただいて思うんですが、普通、自己表現と言うときには、たとえば自分が頭の中で思っていることをみんなに聞いてほしいとか、それでみんながいうことを聞いてくれたらなお嬉しいとかいう話だと思うんです。でも、たとえば河合隼雄さんとの対談で、小説を書くときには自分のなかの深い井戸に降りていくというようなお話を村上さんはしていらっしゃいましたよね。そのレベルまで行っちゃうと、普通言われる自己表現とはまた違うんだろ

う と……思うんですが。

村上 それはやっぱり創作ですよね。創作についてのことだから。

出席者D 翻訳は人の魂に降りていき、小説は自分の魂に降りていく。それなら二つに本質的な差はない、とひょっとしたらお考えなのではないか、と思ったんですけれども。

村上 だからね、河合先生の話ではないけど、ユング的に言えば、翻訳のテキストというのは、一種、自分に内在するものであるということはあると思うんです。あるべきだというか。たとえば僕がカーヴァーの作品をテキストとして選ぶのは、自分の中にあるカーヴァー的なるものを合わせ鏡のようにして見るという意味はあると思うんですよね。そういう意味では、あなたがおっしゃったように、自分の中に降りていくことと、テキストの深部に降りていくということとはある程度呼応していると思いますね。ユングが出てきたらお終いというところはありますが（笑）。ひとつ言えるのは、テキストの選択はとても大事だということです。

出席者D つまり、気づいたら訳文が雑になっていかねないものは、やるなということですか。

村上 やっぱり自分の中に呼応するものがないテキストというのは、疲れますよね。うまく訳せないし。だから、自分がこれだと思ったテキストを追求していけば、あれこれむずかしいことを持ち出さなくても、やっぱりそこには何かあるし、その翻訳を読む人も何かしら感じるものがあると思うんです。

僕がカーヴァーを最初に見つけたのは、たまたま *The West Coast Fictions* というアンソロジーを読んでまして、カーヴァーのところにきたら、もうそこのページだけが光り輝いているんです。ビリビリくるのね。そのときに読んだのは“So Much Water So Close to Home”、『足もとに流れる深い川』と訳したっけ。僕は読んでもう本当に胸が震えるぐらいびっくりしたんです。「これだ！」と思った。そういう出会いみたいなものがひとつないと、気持ちが通じ合うというか、呼応し合うという翻訳はできないんじゃないでしょうか。上手い下手とか、バイアスとかいう以前のこととして。で、そういうのをいくつかコツコツと続けていれば、自然に翻訳もうまくなるし、文章もできあがってくるんじゃないかというふうに僕はすごくオプティミスティックに考えているんです。僕はカポーティも好きだけど、カポーティも高校時代、英文和訳で練習して、例文で英文に触れて本当にビリビリ感じて、それ以来、カポーティというのは僕にとって大事な意味をもつ作家になってるし、そういう出会いみたいなのはすごく大事ですよね。柴田さんもそれは同じじゃないですか？

柴田　そうですねえ……難しいな。うーん、ある程度僕の中に呼応するものはあるんだろうけどなぁ。たとえばスティーヴ・エリクソンとかを考えると、この人みたいなパワフルなものが僕の中にあるかというと、自信ないですけどね。

村上　あるんじゃないですか。

柴田　あるのかなあ。うーん。僕はあくまで一読者として、自分がほとんど召使というか、奴隷というか、そういうものになって、主人の声をとにかく聞いて、それを別の言語に変換するというふうに考えるので……

村上　でも、それは翻訳の一種の巫女的というか、ミディアム的というか、そういう側面ではないかなと僕は思うんです。呼応要素がなければ、そういうことは起こらないんじゃないかな。柴田さんと僕が訳した「オーギー・レンのクリスマス・ストーリー」を読んでみて思ったんだけど、やはり切り取る空気がずいぶん違っているんですよね、訳しているときに切り取る風景が。視線の方向が違ってたり、組み立て方が違ってたり。だから一読者というよりは、もっと主体的に方法的にパースペクティブを選択しているわけですよね。

柴田　それはそうですね。読むときに潜在的に何となくやっていることを、訳すときは実際に言葉の次元でやりますからね。

訳者というペルソナ

村上　それと、もう一つ僕が感じるのは、翻訳をしているときには一つの仮面を被るというか、ペルソナを被るみたいなところがあって、たとえばカーヴァーをやっていると、カーヴァーのペルソナを被るし、カポーティのときもそれなりのカポーティ的ペルソナを被っている。一種のロールプレイング・ゲームというんじゃないけど、そういう、自分の立場の置き換えみたいなのが常に行なわれていて、それは、精神治療的な見地から言っても意味のあることなんじゃないかという気がしなくはないんです。僕自身は小説家だから、自分の小説を書いてて自分というもののあり方に疲れるときがあって、そういう場合、どんどんペルソナを交換していける翻訳というのは楽なんです。

それから翻訳をすれば、確実にそのペルソナの記憶みたいなのが、自分の中にフィードバックされていくんですよね。これはつまり、カポーティを訳してるからすぐにあんな文章を書くとかそういうことじゃなくて、何段階か通して、一回下まで行って、また上がってくるというところがあります。それは小説家の僕にとってはわりに意味を持つ部分だと思いますね。

柴田　そういうことを実感される瞬間があるわけですか。

村上　とくに実感はしないけど、「何かが起こった」という感覚が残るのかな。

柴田　訳さなくても、読んだだけでも、読んだものが沈み込んで、書くものに反映されるということはありえますよね。

村上　ありえますけど、ぜんぜんその深さが違う。翻訳というのは、極端に濃密な読書であるという言い方もできるかもしれない。でも、僕ぐらいたくさん翻訳をする作家は他にいないから、僕の言っていることにどれくらい一般性があるのかちょっとわからないですね。

出席者A　いままでのフォーラム原稿を読んで、ああ、いちばん自分と違うと感じたのは、これを訳したいと思うときに、その作家の創作に自分も関わりたいというか、そういうところが原動力になっているということを村上さんはおっしゃっていたように思うんですけれども……

村上　それを僕がいちばん強く思うのは、カポーティとフィッツジェラルド。ただ、カポーティとフィッツジェラルドの難しさというのは、すべての面でアンビギュアスなのね、文章が常に深い二重性を持っている。だからそのアンビギュイティーをどれだけ日本語に持ち込むかというのは、大変に難しい問題で、それは僕の永遠の課題みたいになってくるんですよね。

結局、正確に訳すと原文の二倍、三倍の量になっちゃうし、それを同じくらいの量までサイズダウンしようと思うと、削っていかなくちゃいけないし、そのためには世界観のしぼり込みと文章力が必要になってくる。これはすごく難しいけれど、僕にとってはそのへんにいちばん大きな翻訳の意味がある。ただ、カーヴァーはぜんぜん違うからね。カーヴァーというのは言語的複合性みたいなのはほとんどない、もちろんぜんぜんなくはないけど、もう少し単純ですね。単純だからむずかしいとも言えるんだけど、僕が本当に好きなのは、カポーティとフィッツジェラルド。彼らの文章をどれだけうまく綺麗に訳せるかというのがやりがいのあるところです。彼らの文章から学んだことはすごく大きいですね。文章の秘密みたいなのは、やっているとやっぱりだんだん、だんだんわかってくるところがあるんですよね。ただ、だから僕がフィッツジェラルドとかカポーティみたいなああいう華麗な文体を使って自分の文章を書くかというと、それは書かないです。

出席者A　でも、そういうフィッツジェラルドとかカポーティを訳したことで、もしそういうものを訳していなかったら、と考えると、小説家として書かれるものは変わったと思いますか。

村上　変わったんじゃないかな。僕は逆に、それはそれで神棚に置いておいて、自分の文章はもっとシンプルにしようというふうに思いますけどね。不思議だけど。それでシンプルの極致みたいなカーヴァーの文章から僕が何か学んだかというと、あまりそういう印象はないんですね。もちろん彼の文章、好きだけどね。でもどちらかというと、逆説的な話になるけど、カポーティとかフィッツジェラルドみたいな華麗な文章のほうから学んだものが多いですね。

出席者A　常にシンプルにしようと思われるんですか。

村上　よりシンプルな言葉でより深いものを書きたいというのが、僕の基本的なスタンスです。だからそういう華麗なるペルソナを翻訳者として被っちゃうと、ある程度華麗方向への欲求は解消されちゃうという部分があるかもしれない。

柴田　なあるほど。

出席者D　村上さんがさっき、翻訳をしているとすごく楽な気持ちでいられるというふうなお話をなさったんですけど、僕はいまジョン・アーヴィングの『未亡人の一年』を訳しているんですが、何て言うか、自分よりとてつもなく能力があって、粘着力があって、何だかわからない人が、自分の頭の中に無理矢理入ってきて、頭蓋骨を力ずくで広げられるような感じがいつもしてるんですよ。

村上　やりかねない人だからね（笑）。

出席者D　とんでもないことになっちゃったな、という気持ちでこの一年半ぐらい過ごしてきたんですが。

村上　たしかにあの小説とつきあうのは大変ですよね。ある部分では文章的なエゴがむき出しになってきますし。彼の最近のものはとくにそうですね。

出席者D　はい。だから、翻訳は楽だというおっしゃり方もわかるんですが、同時に人の考えとか、他の人が入ってくるという大変さもあるんじゃないかなと思うんです。

柴田　でも、それは誰が入ってくるか選べるわけだからね。いやな人は入れないから。

村上　あまりそういう体験は僕はないんで、実感としてよくわからないんですけど、やはり柴田さんがおっしゃるように、相手は選ぶ必要があるということだと思うな。合わないこともあるし、力負けすることもありますよね。べつに負けてもいいんだけど、あと味のいい負け方と、あまりよくない負け方があると思う。僕はかなりテキストは選びます。

出席者E　『Sudden Fiction』（文春文庫）のアメリカ編を村上さんが小川高義さんと、インターナショナル編を柴田さんが訳してらっしゃいますけど、あのときはお二人ともどうだったんですか。

柴田　あれは、脳がワーッと広げられる前に終わっちゃうから（笑）。

村上　『Sudden Fiction』はすごくおもしろかったですね。というのは、仮面を被ったと思ったらアッという間に脱いじゃうわけですから、すごいせわしないけどおもしろかったですね。

柴田　瞬間芸でしたね。

村上　だから、勉強になりますよね。アッという間に雰囲気を摑んで、その空気をどういう日本語に移し換えるかということになるから、スピードがないとやっていけないですね。
柴田　僕はボルヘスとかカルヴィーノとか、英語圏以外の作家、ふだん訳すチャンスがない作家を訳せてものすごく嬉しかったですね。

作家に義理はあるか?

出席者F　また「偏見のある愛情」ですが、好きでこれまでいろいろ訳してきた作家でも、たとえば初期短篇集だったら、ある程度、円熟期のものと比べると作品に粗《あら》があると思うんですけれども。
村上　ものすごくあります。今もカーヴァーの未発表の作品をまとめて訳してるんだけど、だいたいにおいて作者自身がボツにしていたものだから、ところどころしんどいですね、はっきり言って。でもね、センエツかもしれないけど、できることなら僕なりに少しでも引っ張り上げてあげたいという気がするんですよ。だから、たとえばそういうちょっと問題を含んだ短篇を誰か他の人が訳すというような話を聞いたら、行って奪い取ってきたくなるんじゃないかな。つまりできるかぎりの力を尽くして、良い部分をうまくのばそうというか。
出席者F　そういうのも多少バイアスで直してあげちゃうとか、それもアリだとお考えですか。
村上　多少はね。でも、もちろん原文と違うのを書き加えたり削ったりはしないですよ。ただ、言葉の選び方とかで、少しでも一般的な読者が楽しんで読めるようなものにしたいという気持ちはありますよね。

柴田　それはそうですね。ここでこういう形容詞を使ってるけど、本当はこの人はこっちではなくて、こっちみたいな言葉を使いたかったんだと決めて、少しずらして文の流れを良くするとか、そういうことはふだんからよくやるので、そういうのがたぶん増えるんじゃないかな。

村上　昔つきあっていた女の子が困っているからちょっと行って助けてあげよう、とかね。

柴田　それはよくわからないけど（笑）。でも僕、作家自身にはあまり義理を感じないですね。読者は作家のファンになったりもするけど、最終的には本と読む人しかいないと思うから、訳者としては作品単位ですね、義理があるのは。

村上　僕も、カーヴァーが死んでテス（・ギャラガー）のところに行ったときに、机の中に未完成の原稿がドサッと入っているんです。で、テスはそれをエディットするのを手伝ってくれないかと僕に言ったんだけど、僕としてはそれはできないんだよね。そんなことしたら自分で続きを書きたくなってくるから。

柴田　うん、それやると第二のゴードン・リッシュになっちゃうでしょうね。

村上　ですよね。でもやりたくなると思うな。ここまで書いてあって、ここからどうするかって、そりゃやりたいですよ。

柴田　じゃあ、できないというのは、できるけどやらない、という意味ですね。

村上　そうです。できるとは思うけど、やれない。やっぱりカーヴァーっていうのはもう歴史的な存在だから、そんなふうにいじったりすることはできないということです。

柴田　だけど、たとえば『明暗』が途中で終わっていて、その『続・明暗』を書く、ということはあるわけじゃないですか。それとは話が別か……

村上　『明暗』まで行くと、作品が一般論として確立していますから、いじっても「遊び」として通用するんです。

柴田　そうですね、『明暗』自体にある程度イメージがあって、それに対するひとつの解釈として「続」が出せる。知られていない未完の続きを書くというのとは違いますね。

村上　そのへんがやっぱり小説家兼翻訳者というものの限界というか、純粋な研究者にはなれないんですよね。最後のところで実作者としての欲が出てきてイライラしたりする。オリジナルがゆらがないから。

柴田　僕の場合でいうと、好きな作家というのは、わりとコンスタントにいい人が多いので、結局みんな訳しちゃうんですけど（笑）。でも、場合によってはこれはほかの作品より落ちるかな、と思うことはあります。で、そういうとき、いちいち言葉にはしてみないけど、要するに、自分が読者だったら、これを読んでよかったと思えるかどうか、ということを判断の基準にしているんだろうと思う。その結果、これはパス、と決めたケースもありますね、確かに。

あと僕は、「これは駄作だ」とはっきり言えるだけの自信が自分にないですね。これは自分で好きだ、良さがわかる、というのは実感として比較的もてるんですけど、良さがわからないというのは、単に自分がわからないだけじゃないかと思って。「これは悪い」という実感を僕がはっきりもつとしたら、それは相当悪いってことです（笑）。

村上　ただ、短篇集を一冊やって、半分はいいけど半分はちょっとな、という場合がありますよね。例にとって悪いけど、あのデニス・ジョンソンの *Jesus' Son** だって、いい短篇はめっぽういいけど、もうひとつのはもうひとつですよね。

柴田　まあそうですね。当たり率はかなり高いですけども、それはそうですね。

村上　だから、あれ一冊頭から全部訳すとなると、個人的に思い入れがないとしんどいだろうなという気がしなくはないのね。

柴田　短篇集の場合、それははっきりありますね。これはちょっと早く終えて次に行きたいなというのが。読んでいて、まったく均質に同じくらいどれもいいというのは、ちょっとないですよね。それは、ＣＤ一枚のなかで、この曲とこの曲が特にいい、とかいうのと同じです。

トランスレイターズ・ハイ

村上　翻訳は、ある種、理不尽なものですね。理不尽な愛情というか、理不尽な共感というか、理不尽な入れ込み、そういうのがないと無理だと思うね。だって、長篇小説なんかだと一冊の分厚いものを、一年も二年もかけて日本語に移し換えるわけでしょう、普通の神経ではできないですよね。よっぽどつらいことが好きな人じゃない限りね。

出席者C　やっぱりつらいですか。

村上　作業量だけをとっても、すごい作業量ですよね。それだけ自分の人生の時間を削ってやるわけです。翻訳者にとってもbountyみたいなものがないと、やりがいがないでしょう。

柴田　そうですけど、でも、頭の全部は使わない仕事ではありますよね。たとえば、村上さんおっしゃったけど、創作は音楽を鳴らしてできないけども、翻訳は音楽が鳴っていてもできると。僕もそうです。僕は人としゃべりながらでも翻訳できます。

村上　お釈迦様みたいですね（笑）。

柴田　シバタ太子と呼んでください（笑）。もちろん頭は使うんだけども、その使い方としては、僕にとってはものすごく楽な使い方なんですね。

村上　でも何時間も経ったら、もう限度になっちゃいますよね。ならない？

柴田　いや、むしろやればやるほどハイになるから。

村上　そうですか。

柴田　要するに、もう疲れた、もうやりたくないというところまでやれたことがないので、少なくともこの数年は。

＊――短篇集。ジョンソンの作品は柴田訳『僕の恋、僕の傘』、村上訳『月曜日は最悪だとみんなは言うけれど』に収録されている。

村上　それは違いますね、僕なんか翻訳をやろうと思って、たとえば二時間かやりますよね。そうしたら、ある程度疲れてくるんですよ。

柴田　僕、翻訳やってて疲れを最後に意識したのは一九九〇年で（笑）、その頃は今よりだいぶ暇だったんですね。だから、エリクソンの『黒い時計の旅』を訳しているときに、あんまり一日中やっていると文章がちょっと荒れちゃうかもしれないから、午後は別のことをやろうと自分で決めたんですけども、それ以降は、とにかく大学の仕事もあって、少ない時間のなかでやるので、やれるときはいくらでもやるという感じなんですよね。

村上　僕の場合はスポーツと同じなんですね。たとえば一時間走るとか、一時間泳ぐとか、一時間スカッシュするとか、そういうのがあるわけじゃないですか。翻訳も、その一部に組み込まれている。

柴田　でも、ランナーズ・ハイとかないですか？　トランスレイターズ・ハイとか（笑）。

村上　なくはないけど、わりとすぐ終わっちゃうんですよ。創作に関しては深くいっちゃう場合はありますが。

出席者C　トランスレイターズ・ハイというつなぎで、柴田先生は、翻訳はサービス業だという考えをお持ちで、さきほどからのお話にもよく読者が出てきますが、もう一方で、翻訳は遊びであり、すごく楽しいともおっしゃっています。そうするとたとえば、読者がいないというか、本という形にはならない、なっても自分だけのための翻訳という場合でも、なさると思いますか。

柴田　やらないと思う。

出席者C　その本一冊全部ではなくても、このパラグラフはとか、この数行はご自分一人のためにとか。

柴田　本質的なことを訊かれているわけですね。もし「やらない」と答えれば、「なんだ、それだったら、そんなに好きじゃないんじゃないか」ということですよね。

出席者C　いや、やっぱり読者があってこその楽しみなんだな、と……

柴田　うん、読者がいないと、誰も食べてくれないのに一生懸命料理作るみたいな空しさを感じちゃうと思う。読んでくれた人たちがおもしろかったと言ってくれるのはすごく励みになります。とにかく自分は、世の中に、とまでは言わなくとも少なくともこの人たちに対しては、害悪や不快ではなく快をばらまいたんだなと思えるのは、僕にとってすごく大きな意味があります。

村上　僕は小説を書くようになる前に、フィッツジェラルドを、別の仕事をしながら自分の趣味でこつこつと訳したんですけど、楽しかったですね。

柴田　それはべつに小説を書くための景気づけというか、助走ということではなくて？

村上　じゃなくて、ただ趣味として訳していたんです。べつに発表するつもりも予定もなくやっていたわけです。

柴田　それは誰にも見せなかった？

村上　見せない。どこかに行っちゃって、もうないですけど。

柴田　もったいない（笑）。まあとにかく、どううまくサービスするかを考えることが、僕にとっての遊びだってことになるのかな。それはだから、翻訳でも授業でも同じですね。

村上　オースターの訳を読んでて、これは柴田さんはすごく楽しんでやっているんだろうなという気はするんですよね。

柴田　それはあるんです。自分が楽しむことが、結果的に人にいちばんよく奉仕することになるというのはいつも思うんです。翻訳も、教師の仕事も、エッセイを書いたりするのも全部同じで、僕の中で、そんなつもりはなかったけど結局ある程度一貫性はあるんだなという気はするんですよね。

村上　僕が言いたいのは、自己表現的な部分は、柴田さん本人が思っているよりは強いんじゃないかということなんです。無意識的にというか、まるで自分の潜在的人格を愛するように……というと決めすぎかもしれないですが。

柴田　それは、たとえば僕が小説を書き得るというのと話はつながるんですか。

村上　直接はつながらないと思います。それはまた別の話ですよね。

柴田　つながらないですか、残念（笑）。いや、ときどき小説は書かないのかと訊かれるんですけど、ぜんぜん書けると思わないんで。

村上　いや、書けるか書けないかは僕はぜんぜんわかりませんけれど、少なくともこれらの翻訳をやっている段階においては、そういうスタイルの自己表現が非常に有効になされているし、それは柴田さん本人が思っているよりは強い効力を持ったものだと僕は感じますけどね。

出席者A　それは、今回「オーギー・レンのクリスマス・ストーリー」を村上さんご自身も訳されて、そして、「あ、そうか、こんなに違う」と……

村上　柴田さんの翻訳をいつも読んでいるけど、こんなふうにして読んだのは初めてだからね。やっぱり強いんだなとすごく思った。柴田さんの「翻訳的自我」とまで言ってしまうと言いすぎかもしれないけど、でもくっきりとしたものは見えてきますよね。

声の大小

出席者B　"Collectors" に戻るんですけど、この「掃除機のセールスマン」ってすごく特異なキャラクターですよね。何か声がすごく大きい感じがしたんですけど、たとえばこの短篇を訳されるとき、科白を声に出して、日本語でも英語でもいいんですけど、確かめる作業を翻訳中になさいますか。

柴田　僕どうなの？　声出してる？　訳してるときに。口は動いていると思うんだよね。

シバタ同居人　あ、動いていますね。でも日本語じゃなくて、英語をしゃべってるんじゃないかな。

柴田　英語でね。そうか。

同居人　あと、手が動いてます。

柴田　手が動くんだよね、そう。どういうノリかというのは、何か体で計って言葉にしてるところはあると思う。それから、うまく訳しているときって、頭使って訳してる感じがしないですからね。体を経由して言葉が出てくるって感じが感覚的にはするんです。村上さんはいかがですか。

村上　僕は絶対言葉に出さない。というのは、音声的なリアリティーと文章的な、活字的なリアリティーってまったく違うものだから、音はあまり意味ないんですよね。芝居の台本のための文章を書いているんだったら、もちろんそれはありますけどね。口には意識的に出さない。

柴田　僕も、紙に書きつける言葉を口に出してみるということではないですね。一瞬その人になってみる、演じてみる、という感じですね。

出席者D　村上さんの言うビートというのは、文章のリズムとは違うんですか。声には出さないとしても、頭の中で読んだときの文章のリズム……

村上　それは目で見るリズムなんです。目で追ってるリズム。言葉でしゃべっているときのリズムとスピードと、目で見るときのスピードとは違うんです。だから、目でリズムを摑まないと、口に出してたら、いつまでたっても文章のリズムって身につかないような気がする。

出席者D　頭の中で読んだり、口に出したりはしないんですか。

村上　それはあるかもしれないけど、そのへんの境目はほとんど自分ではわからないですね。目で見ながら、自分の中でそれが音になっているかどうかなんて、見分けがつかない。

柴田　僕、このごろますます感じるのは、やっぱり黙読してても呼吸はしてるんだなと思うんですよね。翻訳の授業をやっていても、ここに点を打て、全体に読点をもっと工夫しろとか、とにかくそればっかり言ってるんですよね。こないだなんか、「この授業では、読点は人格上の問題だ」とまで宣言した。そのへんが学生の翻訳を読んでいて、いちばん物足りない。いや、学生の翻訳だけじゃないね、世に出ている翻訳でもその点にいちばん違和感がありますね。呼吸っていうことをちょっと軽視してるんじゃないか。

出席者D　ということは村上さん、朗読会とかでは意図は伝わらないということですか。

村上　ああ、朗読会というのは、あれはひとつの余興だから、そんなに意味ないですよね。ま、うまい人はいるけどね。だから、登場人物の科白なんかは口に出してしゃべっちゃうと、何かすごく変に響くときがありますね。目で見ると普通なんだけど。で、僕は自分の小説が映画になるのが好きじゃなくてだいたい全部断ってるんですが、それは自分の書いた科白がそのまま音声になるのが耐えられないからです。

柴田　そうですね。それはかなり違ってくる。逆に、しゃべるんだったらこうしゃべるのがリアルなんだけど、字にするとおかしいというのもありますしね。音声的なリアリティーと文章的なリアリティーはもちろん違うんだけど、ただ、たとえば村上さん訳のカーヴァーと柴田訳のカーヴァーとを比べると、やっぱり村上さんのほうが、文章から声がはっきり聞こえるんですね。これは、しいて違いを言えばということなんですけども、僕はたぶん音の大小みたいなものが文章の中にあるとして、その大小の段階的差異を精密に再現することに神経を使っているんだろうと思うんです。で、村上さんの訳は、ここが大きい、ここがポイントだみたいなところをガシッと捕まえている気がするのね。だから、目に飛び込んでくる飛び込み方が違うんだろうなと思うんですね。アンプで言えば僕のは歪率の低いのが売りで、村上さんのはダイナミックレンジの大きさ。まあそれも、しいて言えばですけどね。

村上 僕は、だいたいからしてダイアローグの翻訳についてはそんなに考えないんですよね。小説でも同じですね。会話のダイアローグについてはほとんど考えてないです。とくに苦労もなく出てくる。地の文章については、小説でも翻訳でもああでもないこうでもないと考えることは多いですが、ダイアローグについてはほいほいとやっていることが多いです。もちろん、ものすごく長いダイアローグは別だけど。僕の"Collectors"もそうですけど、ダイアローグに関してはわりにいいかげんなのが多いです、訳し方が。

柴田 いいかげんという感じはもちろんしないです。

村上 いや、感覚的というか、僕の翻訳の基調からすると、一段階飛んでいるところがなくはないと思うんです。でもそれはもう病みたいなもので、しょうがないような気がするな。会話ということになると、ついつい自分が出てくる場合があります。その代わり、地の文章はなるたけ飛ばないようにしようとは思うんだけど。柴田さんはどうですか、ダイアローグと地の文章との訳し方の違いというのは。

柴田 それは、訳すべき文章ということでいえば同じなので、同じことですね。地の文というのは要するに、語り手のしゃべりですよね。で、語り手に一つの声があって、登場人物一人ひとりにもそれぞれ声がある。その人たち一人ひとりの声に一貫性をもたせるということは意識するので、それは地の文でも会話でも同じことなんですね。とにかく僕の課題はむしろ――すいません、ちょっと別の話なんですが――地の文にしろ会話にしろ、一貫性のないのが強みの文章をどう訳すかということなんですね。要するに、強い悪文をどう訳すか。僕がそれをやると、単に下手な、何かまとまりのないものになっちゃうので、どうしても綺麗に、ある程度まとまったものにしちゃう……

I don't know you

村上　ちょっといいですか、"Collectors," テキストのi頁、"Aubrey Bell, he said./I don't know you, I said."という文章。ここの部分で、僕は前に「オーブリー・ベルです、と彼は言った。/どういうご用件でしょうかね、と僕は言った」と訳したことがあるんです。でも、何で僕が"I don't know you."をこう訳したかぜんぜん覚えてなくて、さっき原文を見て、ああそうかと思ったんだけど、柴田さんのは、「オーブリー・ベルです、と男は言った。/存じ上げませんね、と私は言った」となっていて（一三五ページ）、これが正確な訳なんですよね。でも、僕は「どういうご用件でしょうかね」というふうに訳したことがあるんだけど、これは一段階飛んじゃってるのね。

柴田　でも、僕にはすごくよくわかりますけど。つまり、こういう状況で、こういう気持ちであれば、日本語ならこう言うだろうということを汲んだわけですよね。表面的な意味よりも。

村上　うん、そうなんだけど、僕の場合、科白の部分になるとわりにすっすっと自然に飛んじゃうところがあって、あとで読み返すと自分でひっかかったりするんです。正しい正しくないの問題じゃなくて、自分が出ていってしまうことへのこだわりというか。『カーヴァーズ・ダズン』という、あとで出した作品集に入れたときには「どなたですか、いったい」と訳し変えたんですけど。

柴田　でも、訳しているときの虫の居所というか、気分によってはぜんぜん違うものが出てきたかもしれないですね、僕も。そのときの体調とかで、ずいぶん出るものが違うということはあります。

それと、村上さんの翻訳ってだんだん直訳的になってきていますよね、たぶん。

村上　逆にね。そうかもしれない。

柴田　最初のうちは、日本語らしい表現ということにある程度重きがあったのが、どんどんそのまま訳していて、むしろそのまま訳すなかで日本語らしさをなるべく……

村上　ニュートラルになってきてますね。

柴田　ええ、そういう感じがしますね。

村上　この時期は、僕、こういう訳し方をしてたんですね、今にして思えばね。もう一つ、同じようなので気になったのは、テキストiiページ、“What's the matter with you?”のところ。

柴田　「アスピリンはお持ちではありませんか？／まったく冗談じゃないな、と僕は言った」（一二一ページ）ですね。

村上　ええ。今だったらこうは訳さないね。ちょっと強い。でも、ニュアンスは合っていると思いますけどね。

柴田　うん、つまりさっきの言い方と……いや、あれとは別かもしれませんが、とにかく方向性としては正しいということですよね。

村上　正しい。柴田さんはどういうふうに訳していたっけ。

柴田　「具合でも悪いんですか？　と私は言った」（一三七ページ）。だから僕のだと逆に、そこで彼が「面倒くさいな、うっとうしい」と思っている感じがあんまり出てないですよね。

村上　ただそれも、口調によるんだよね。要するに、“What's the matter with you? I said. I hope you're not getting sick on me.”という科白なんだけど、アタマからきつく言うと「まったく冗談じゃないな」というニュアンスになるし、わりに平板に言うと「具合でも悪いんですか」というふうにとれるし、それはどういう口調を自分の頭の中で想像するかという問題になっちゃうね。

柴田　そうですね。でもやっぱりそう言われてみると、もうちょっと敵意なり、何かいやだなという思いが出るような訳文にしたいだろうな、僕も。

村上　でも、僕の訳文は今にしてみると、ちょっと行き過ぎてるかなという……

柴田　ま、両者の中間あたりがいいのかなということになりますかね、平和な結論として（笑）。

村上　これはでも、本当にもう好みの問題というか、その時期、その時期ですね。僕もこの時期はこう訳していたけど。

キュウリみたいにクール

出席者F　今の話を聞いてすごく意外だったんですけど、村上さんの訳を読んだときに、英語っぽい感じを強く受けたんですね。もともと英語で書かれた作品を読んだときに、ある程度距離感を感じつつも、これが英語の感覚だなって思っておもしろく思うのと同じような。で、柴田さんの場合は、もしカーヴァーの母国語が日本語で、最初から日本語で書いたらこうなるだろうなという感じがする。村上さんの場合は、母国語はあくまでも英語なんだけど、日本語をかなりのレベルまで修得して、日本語で書いたらこんな感じだろうと。こうして原文と対照してみると、村上さんの訳は英語をまったくそのまま直訳しているのではないことがよくわかるのですが、逆に発想の英語っぽさが翻訳にそのまま生きているような気がして……

村上　逆みたいだけどね、話としてはね。

柴田　話としては逆なんですけど、何となくそのとおりじゃないかって気がする。

村上　結局僕は、日本語を自分で作ってきたから、外国語的な発想、外国的なものがずいぶん多いんですね。

柴田　村上さんご自身の小説についても、英語で思考しているのが見える、みたいな無責任なことを言う人もいますよね。

村上　うん。ただ僕の小説は、翻訳文体の脱構築というか、一種の構造体を残して中を入れ換えたみたいなところがあるので、翻訳でもそれが出てきちゃうんでしょうね。

出席者F　一般に、英語っぽさを感じさせないのがよい翻訳というような言われ方をしますが、村上さんの翻訳のように、英語っぽさを活かして一つの世界を作れれば、それはそれですごく魅力的になっていくんだというのを新鮮に感じたんですけども。

村上　僕の場合は特殊な例かもしれないですけど……

柴田　以前、新聞で村上さんの翻訳について書かせていただいたときに、「最初に村上訳を読んだとき、英語を文字どおり訳していることが、日本語としてとても新鮮に思えた」というようなことを僕も書いたんですけど、そういうことですか。

出席者F　そういうことです。それを他の人が真似しようと思っても失敗するわけで。

村上　僕の場合は、日本の作家から小説技法を学んだというのがまったくなかったから、自分で自分の文体というのを作らなくちゃいけなかったわけですね。で、その叩き台になったのが英文の文章だったからね。それにプラスして、ブローティガンとヴォネガットの……ブローティガンを訳した人は誰だっけ。

柴田 藤本和子さん。

村上 藤本さん訳のブローティガンとか、あとはヴォネガットの訳は飛田茂雄さんとか。

柴田 浅倉久志さんとかね。

村上 うん、そういうのが一種の定型になって、それから自分自身で英語で読んだ本というのがあって、そういうのがグシャグシャに混じっているから。

出席者F やっぱりそうなんですか。私は初めて村上さんの小説を読んだときと、そのブローティガンとかヴォネガットの翻訳を読んだときと、わりと時期が近かったんですが、どちらも文章の感触が似ているなというのが第一印象。

村上 だから、やっぱり自分の文章のモデルというのは最初に必要ですよね。自分でゼロから作るわけにはいかないから。だから、僕の場合は枠組みをもってきて中を分断して臓物を入れ換えていったということがあって、翻訳というのは、僕が自分の文体を作るプロセスの中ですごく大きい意味をもっていたということなんですね。

柴田 そういう意味では、藤本訳ブローティガンというのは影響力がすごく大きいですね。

村上 あれ、意外に大きいと思うな。

出席者E 僕が村上さんの小説の英訳を読んだときに驚いたのは、いま言われたような文体の特徴が、逆に英語だと普通の文章になっちゃうじゃないですか。『ねじまき鳥クロニクル』の一部が「ニューヨーカー」に載っているのを見たんですけど、英語の表現としては普通なのに、逆に中身はすごく日本的な文章に思われれたんです。

村上　おもしろいですね。あの小説はジェイ・ルービンというハーヴァードの先生が訳したんだけど、僕はあの本の会話で、「個人的にとらないでくれ」って日本語で書いたんです。でもそれ、ジェイ・ルービンに言わせれば英語なのね。Don't take it personally. で、ジェイ・ルービンは「おいハルキ、そんな表現は日本語にないよ」って言うんだ（笑）。確かにそうなんだよね。

柴田　それを彼は、日本語らしい英語みたいに訳すのかな（笑）。

村上　あの人凝り性だから、また別の言葉に置き換えているかもね（笑）。

柴田　バーンバウムの訳だと、また違うんじゃないですかね。『風の歌を聴け』はバーンバウムですね。あれは字面を見ると本当に表面的にはヴォネガットみたいですね、英訳は。

村上　そういう意味では僕の日本語の文章自体の発生、成立過程が変だから、翻訳のほうも、そういうふうに二重に変なところがあるかもしれない。

柴田　なるほど。図式化すると、村上さんの訳文は、枠としては英語の発想をもってきて、その中に入れる表現はすごくイディオマティックな日本語というふうになっていて、それと比べるのはおこがましいんだけど、僕は、日本語の枠組みは残して、その枠の中でちょっとずつ日本語にないものを忍び込ませて、枠を結果的には広げられればいいなと思っているらしい。でも、べつに日本語に対して何の義理もないから、枠が広がろうと広がるまいとどうでもいいんですけどね。そういう方向の違いはあると思います。

出席者D　クリーシェ（決まり文句）の問題もありますよね。前に柴田さんがおっしゃってましたけど、村上さんの訳を直していちばん衝撃を受けたのが、英語のクリーシェをまさにそのまま訳してあったことだと。しかもそれがぜんぜん変じゃなくて、こういう手もあったのかとすごく衝撃を受けたと……

村上　クリーシェってそのまま訳すとおもしろい場合があるんですよ。そうじゃない場合ももちろんあるけど。

出席者B　「キュウリみたいにクール」cool as a cucumber って、もう定着したんじゃないですか（笑）。

村上　あれはね、僕、die like a dog（die a dog's death）とかも、どう訳すかって難しいですよね。犬のように死んでいたっていうのは、けっこう恰好いいときあるものね。

柴田　それが僕にしてみればコロンブスの卵だったんですね。何か日本語独自の等価表現を見つけなければいけないような気がしてたから。

二人のオーギー

柴田　『オーギー・レンのクリスマス・ストーリー』のほうはいかがでしょうか。タイトルはさすがに一緒ですね、これは。

村上　でも、皆さんにお聞きしたいんですけど、二つ読んでみて、やっぱりずいぶん雰囲気が違いますか。

出席者F　これはすごく似ていると思います。

村上　“Collectors”のほうが……

出席者F　すごく違う感じがしました。

柴田　『オーギー・レン』のほうもけっこう違うと思ったんですが。

村上　僕は、実は本を読むより先に、映画を見ちゃったのね。柴田さんは先に本を読んでるんですね。

柴田　そうですね。

村上　そういうのも違うかもしれません。ハーヴィー・カイテルの顔が、どうしようもなく浮かんじゃうんだね。あの人、やっぱりすごく存在感があるからね。

編集者　この作品は、言葉づかいからすると、柴田さん訳のオーギーのほうが、ハーヴィー・カイテル的なちょっと胡散臭い感じで、村上さんのはもっとニュートラルな感じを受けるんだけれども、ところが、全体としての印象は、私は、逆に村上さん訳のオーギーのほうがなんていうか、下世話だと思ったんですよね。だから、こういう言葉一つひとつの訳語のチョイスと、全体の雰囲気とはまた違うのかも……

村上　これは、柴田さんの文章のほうが切れ込みがいいのね。というのは、前のめりになっている、訳し方が。気持ちが入ってるんだよね。だから、文章を書きながら体が前に行っている。で、僕のほうは引いてるんですよ。その違いはあるね。それはやっぱり入れ込みなんだね。柴田さんの"Collectors"は別で、逆に後ろ。僕のほうが前のめりになってて、柴田さんは引いてる。『オーギー・レン』のほうは、柴田さんが前にのめってるね。珍しいけどね、柴田さんにしては、というといけないけれども。

出席者E　『オーギー・レン』は、けっこう柴田さんの癖が出てますよね。熟語を多用するとか、「ぎらぎら」「ぴかぴか」とか、そういう形容句も多い。「絶望している」と言わずに「絶望に包まれて」と言ったり……

柴田　ああ、ちょっとクリーシェっぽく訳すということね。

村上　だから、こうして細かく読み比べていくと、柴田さんの訳と僕の訳の違いというのは、まあとくにこの作品の場合は、ということになるかもしれないけど、カメラアイの切り返しなのね。文章を目で追っていると、こう切り返す、こう切り返すというような、切り返し方があるんですよ。だから、二つの文章をつなげるとか、ひっくり返すとか、バラバラにするとかいうのは、どういうふうにしてそれをやるかというと、カメラアイなのね。文章のカメラアイが、どういうふうな角度で流れるか、どういうリズムで流れるか、それぞれ文章のひっかかみ方が変わってくる。その切り返し方がずいぶん違うのでびっくりした。たとえば受け身を能動的に訳すか、受け身で訳すかというようなことですね。カメラアイの切り返し方でそのへんが決定されていくんだけど、それが、逆になっている例が、読み比べてずいぶんあったね。

そういう面で、切り返し方が柴田さんのほうがリズムが早いという気がするんですよ。で、他のオースターの訳、ほとんどの場合長篇なんだけど、とくに前のめりになっていないんだけど、これについてはけっこう前のめりになってますね。「前のめり」という表現が悪ければ、ぴっと気持ちが入っているというか。

柴田　そうですか。

村上　うん、そういう印象を受けた。だから、ずいぶん情景のとらえ方の角度が違う。たとえば、アルバムの写真を見せられるじゃない？　あの描写なんかでも、僕の描写と柴田さんの描写は、方向が違うことが多いですね。結果的にはもちろん同じなんですけど。

出席者E　柴田さんの訳のほうが、視点が「私」に近いということですかね。村上さんの訳の視点はオーギー・レンに近くないですか、視点というか、カメラの置き方が。

村上　やっぱりキャラクター、おもしろいんだもの。

出席者E　特に映画を見ちゃうとそうなりますね。

村上　小説として見れば、この人のキャラクターがあっての話ですよね。

出席者E　はい。

柴田　たぶん僕は、どこまでそれを意図したかわからないけれども、要するにこの「私」がオーギー・レンと接していて「俺にはこいつのことがぜんぜんわかっていないかもしれない」という思いが最後に出てきて、にもかかわらず、オーギーの話した物語自体は事実であろうとなかろうと真実だという逆説も一緒に出てくる。その背反を、かなり強調したかったんだろうと思う。「私」から見て、オーギー・レンは最後になっていい奴であることがわかったというより、いい意味でも悪い意味でも他者なのね。だから、俺たち友だちじゃないかってオーギーが言うのも、僕にはちょっとアイロニーに聞こえるわけ。で、村上さんの訳は、私も一人の人間であり、オーギー・レンも一人の人間である、といったような立場ですね。ま、それも、しいて言えば、ですが。

出席者B　前半では、自分がクリスマス・ストーリーについて何を知ってるんだとか、とてもそんな甘ったるいことは書けないみたいなことを言っておいて、でもオーギーの話を聞いているうちに、最後のクリスマスを君は彼女と過ごした、それはいいことだよ、という言い方をしますよね。で、この「いいことだよ」というのが、わりとこれも一つのポイントだと思ったんですが、柴田さんの訳だと、「いいことをしたじゃないか」（一七六ページ、テキストxivページ It was a good deed, Auggie.）と言って、わりと強く肯定させているというか……

柴田　ここではね。

出席者B　はい。そういう言い方をして、非常に積極的に肯定していると思ったんですね。で、村上さんの訳のほうは、「それは善き行いだよ」（一六〇ページ）というふうに訳されていて、むしろ直訳をなさったというのがあって、これも何かポールに対する見方の違いなのかなという感じもしたんですが。

村上　柴田さん、ポールに思い入れが強いんじゃないですか。
柴田　いや、ここについては、ここでポールがすごく乗せられていて、その後、オーギーの目を見たら、アレッと思うという、そのコントラストを出したかったんだと思う。だから、ここでは本当に、もう本気になって、「お前、いいことしたじゃない」と、バーンと背中でも叩いてやりたいという、そういう気持ちを見せたかったんだろうと思うんですね。
村上　僕はもう少しクールな感じ。
柴田　ここに関してはね。
村上　最後の、オーギーとの会話も、僕と柴田さんでずいぶんニュアンスが違うよね。言っていることは同じなんだけど、最後のところがずいぶん色彩感覚が違うなという印象を受けたんですよね。柴田さんにしては、けっこう強いよ、「恩に着るよ」（一七七ページ）なんて。
柴田　そうですか。紋切り型の紋切り型性を、かなり強く出してるよね。オースター自身、案外そういうところがあるし。これがカーヴァーだと、紋切り型が出てきても、それがどこか、その言葉と、しゃべっている人とがズレてることが表に出るでしょう。ピタッと殺し文句を決めたみたいなことはまずなくて、クリーシェが出てきても、言葉をしゃべっているというより、言葉にしゃべらされているというようなところがあるから。
村上　だから僕もいつもすごく悩むんだけど、僕のカーヴァーの訳というのは、かなりやっぱり色はついていると思うんですよ。色はつけまいと思ってやってるんだけどね。ただ、それ以外にどういう訳し方があるのかという選択肢が僕にはまったく思いつかないんですよね。だから、他の人が何人かカーヴァーを訳していて、ざっと読むんだけど、うぅーん、僕にはぴったりこないのね、選択肢としてね。

再び賞味期限

村上　言い換えれば、カーヴァーにとって何が正しい翻訳かというのは、僕にはもうわからなくなってるんです、はっきり言って。他のものに関しては、ある程度、選択肢というのは見えるわけ。ところが、カーヴァーに関してはまったく見えないんですよね。あまりにも深くのめり込んだせいかもしれないけれど。それが正しいのかどうか、僕にはよくわからないですね。だから、僕はカーヴァーの作品をほとんど全部訳して、全集にまでなっているわけだけど、それがどこまで引っ張れるかは、自分でもぜんぜんわからない。たとえば今から三十年後、五十年後に、カーヴァーという作家なり、彼の作品なりはまた今とは違うポジションにいるわけでしょう。それがどういうふうに読まれることになるのかは、僕にはわからないね。前にも言ったけど、翻訳というのは、賞味期限がありますよね、ある程度。そのへんの難しさですよね。

柴田　なぜか原文より賞味期限が短いんですよね、翻訳って。

村上　なぜかと言うほどのことでもなくて、ま、当然だという気はするけどね。

柴田　でも、どうして当然なんですかね。

村上　ひとつには、それを訳しているときの日本の文化的背景というものがあり、またテキスト自身の文化的背景みたいなものもあるわけです。そういう体温の二重性みたいなものが、ある場合にはぎくしゃくした状況を作り出すことになるかもしれないですね。たとえば野崎孝さんが訳された『ライ麦畑でつかまえて』では、fuck you という落書きをたしか「おまんこ」って訳してあったと思うけど、今なら「ファック・ユー」そのままで通用しちゃうわけだし、訳としてはそのほうがむしろ自然ですよね。もちろん一九六〇年代初めの時点ではそれ以外に訳しようがなかったんだろうなということはよくわかるんですけど、まあそういう細かいところから、文章はだんだん古びていくのかなあと。

あとチャンドラーの訳でもなんか無理に「太陽族」風に訳していたりするものがあって、これなんかいま読むとけっこう疲れます。たとえば「おっと、いかすじゃねえか」とかね。その時点では「生き生きした訳」ということになっていたんでしょうけど、チャンドラーとかサリンジャーみたいな新しい古典の場合には、ある程度の常識的な手当てが必要になってきますよね。たしか『夜はやさし』の中に「ツール・ド・フランス」がでてきて、これを「フランス旅行団」って訳してあるんだけど、今ではそれが自転車レースであることは誰だって知ってるわけだし。

柴田　時間が経つと、原文よりその訳文の時代や文化の匂いが色濃く出ちゃうということですか。

村上　それはたしかにありますね。ただ、田中小実昌さんが訳しているチャンドラーなんかは、いま読んでもそんなに古さを感じない。そういうのを超えて機能しているように見える。不思議なんですよね。だから、僕もカーヴァーに関しては、自分のした翻訳にどれだけ蓋然性があるのか、はっきり言ってわからないし、今はあっても、先に行ってどれくらいあるかというのはわからないですね。柴田さんはそういう賞味期限みたいなものについては考えますか。

柴田 賞味期限ですか。いや、それはもう単に願望として、古びないといいなと思うだけで、賞味期限を考えて訳文を変えるということは、まずないですね。というか、訳すときに、そんなにあれこれ操作できないですよね。昨日は千切りだったから今日はみじん切りでいこうかとか、そういうふうにはならない。結局そのときの自分にしっくりくる訳し方をするだけだから……そうだな、しいて言えば、あまり流行語みたいなのは使わないほうがいいだろうなぐらいは思いますけど。それはべつに翻訳に限らず、文章を書くときにはいつも。

村上 だから、僕が言いたかったのは、カーヴァーというのは僕はかなりのめり込んで訳してるし、オースターに関しても柴田さんはかなりのめり込んでる。ミルハウザーもそうかもしれないけど。それで今回、そういう「持ちネタ」を二人でお互いに交換してやったわけですけど、するとよけいにわからなくなってくる（笑）。

柴田 どういうことですか。

村上 えーと、つまり、カーヴァーの翻訳っていうのは僕の場合ギリギリの線で、これしかないというところで、何とかニュートラルに訳そうと思っているわけだけど、出来上がったものを比べてみると、自分で思っていたより偏見に満ちたものだなということを実感したんですよね。もちろん前にも言ったように、愛情に充ちた偏見というのはあるべきなんだけど、それとは別に……というか。

柴田　つまり、たとえば『フォークナー全集』みたいにほとんど全巻訳者が違っているようなものを、カーヴァー全集について想定してみた場合、うーん、どうなんだろう。そこそこに力があるというと変な言い方ですけど、それなりに見識も語学力もある人が揃って、でも一冊一冊とにかく訳者の違うカーヴァー全集があるとして、それがどんなものになるか……ちょっと想像がつきませんね。

村上　翻訳を読んでいて困るなあと思うのはやはりチャンドラーですね。さっきも言ったけど。チャンドラーって訳す人によってカラーがぜんぜん違うんですよ、清水（俊二）さんの訳と田中さんの訳と。同じマーロウだとは思えないところがある。

柴田　まあ全部読めば最終的には、色を全部混ぜればグレーになるみたいに、チャンドラーの本当の声はだいたいこのへんなんだろうというところに落ち着くと思うんですよ。でも、一冊一冊読んでいる最中は、なんかこれ、さっきのと違うなとか、すごくフラストレーションがたまる。個人訳のほうがやっぱり方向性は決まっているから、そういう意味でよけいなブレみたいなものは感じずに読める気持ちよさはあると思いますね。それがカーヴァーのものなのか、それともカーヴァー・プラス・村上のものなのか、わからないじゃないかという見方もあるけど、でもたとえば僕はイタリア語とかドイツ語とかは読めないわけで、その場合、訳者が添えたプラスアルファであれ、とにかく声は定まっていたほうがいいですね。

村上　ただ、僕がカーヴァーをほとんど独占して訳していることで、カーヴァーが破壊されると言われると、確かにそうだなという気はしなくはないんだよね。

柴田　破壊される?

村上　破壊されたというか、損なわれたというか、そういう気はしなくはないんですよね。

柴田　たとえばカーヴァーの労働者性を強調する読み方からすれば、そういうことは言えるかもしれないけど。まあそれは、言うのは簡単だからね。あるものを無視して、ないものについて文句言うのは。

村上　本当は、それぞれの作品にいくつかの訳があるということがいちばんいいんだろうけど。

柴田　それは理想ですね。商業的に難しいでしょうけど。

村上　ヘミングウェイぐらいだとね。オースターも、まだそこまではいってないですね。

柴田　ええ。僕もオースターについては同じようなことを考えるわけで、読者が柴田訳以外のオースターを思い描きにくくなっているというのは、僕にとってぜんぜん名誉ではないです。単に申しわけないだけで。

カキフライ理論

出席者A　お二人にお聞きしたいんですけど、フォーラム2で、「日本語を磨くために、美しい文章を読みなさい」みたいな教えが一般的にあって、それはちょっと違うという点でお二人が一致してらしたんですね。私も、何かそういう考え方はいやらしいなと思うし、美しい文章といわれるものを読んだとして、それを、たとえばこの言葉が使えるからいただき、というのは、ちょっと違うと思うんです。そういうこととは別に、美しい文章とか醜い文章とかではなくて、ジャンルを問わずに、他人の言葉を体の中に常に入れるというのは必要じゃないかなって、最近よく思うんですけれども、どう思われますか。

村上　他人の言葉を入れる?

出席者A　たとえば、翻訳をやっていて何となくいつもイメージするのは、水瓶みたいなものがあって、その中に水が入ってて、それを外から棒切れでコーンと叩くと中で響くという、それが翻訳だというイメージがあって（笑）。

出席者D　すごい表現だな（笑）。

柴田　この鳴り方は誤訳、とか（笑）。

出席者A　というか、それはたぶん、私が家でずうっと一人で翻訳をしているからかもしれないんですけど、自分の言葉をずうっと見てると何かだんだんいやになってきて、血が濃くなる感じがして――だから、人と会って人の言葉を聞くでもいいし、人の書いたものを読むのも、くだらないテレビ番組を見るでも、何か入れて瓶の水の水位を上げておかないとダメなんじゃないかということを最近すごく感じているんですけども、それについてはどう思われますか。

柴田　前にも言ったけどいいか悪いかはまったく別として、僕はアッという間に影響されるんですよ。何かを読んで、そのあとに訳すと、読んだものが何となく反映される気がするんですね。だから、さっき虫の居所なんかで訳し方はいくらでも変わると言ったけど、それと同じで、その前にどういう言葉に接していたかで変わるだろうと思うんですよね。

そういう意味で言うと、このあいだ言ったこととまったく反対なんだけど、どうせなら美しい日本語に接してたほうがいいだろうと思うんですね。というか、テレビなんかの日本語はあまり入れたくない。自分の言葉が十分嘘だから、わざわざそれ以上嘘っぽい言葉を入れる必要はないということで、もっとボルテージの高い言葉に接しているほうがいいなとは思います。そういう広い意味で考えるんだったら、美しい日本語に接していなさいというのは、そのとおりだと思うんですけども。

出席者A　ただ、大学で教えていらっしゃると、否応なしに入ってきますよね。そういうのって、けっこうすごいメリットじゃないかと思うんですけど。

柴田　もちろん、自分ではとても思いつかないことを学生がバンバン言ってくれるっていうのはすごいメリットです。それがなきゃとっくに辞めてる（笑）。ただね、翻訳に限っていえば、これはちょっとなあって訳文に毎週百本単位で接してるとね、自分の訳も劣化しちゃうんじゃないかなって（笑）。染まるから、とにかく。ときどき心配になる（笑）。

村上　下手な文章読むと、絶対に駄目ですよね。

柴田　やっぱりよくないですかね。

村上　よくないですね。だから、僕はなるべく雑誌って読まないです。

柴田　なるほど。僕がテレビの言葉を入れたくないのと同じ。

出席者A　じゃあ、そういうのはわりと意識的にシャットアウトなさっているんですか。

村上　あまり読まないですね。さっき、言葉とか表現ということをおっしゃったんだけど、文章の説得力って、語彙が少なくても関係ないんですよね。語彙が少なくてすごくいい文章を書く人もいっぱいいるし。だから、僕も最初の小説を書いたとき、とりあえず英語で書いて、それを全部日本語に訳し直して日本語にしたんです。つまり、英語で文章を書くときは、当然のことながら日本語に比べて語彙が少ないですよね。で、少ない語彙でも書こうと思えば書けちゃうんですよ。だから、あまり語彙とかのことは考えないほうがいいんじゃないかなと思う。それより僕、カキフライ理論というのがあるんですよ。

柴田　何ですか、それ（笑）。

村上　それはね、このまえメールで質問がきて、入社試験で原稿用紙三枚ぐらいで自分について書きなさいと。そんなもの、原稿用紙三枚ぐらいで書けるわけないという質問がきたわけです。どうしますか、村上さんだったら、と。確かにそうなんですよ。原稿用紙三枚で自分のことなんか書けるわけないですよ。プロだって書けない。ただ、そういうとき、僕はいつも言うんだけど、「カキフライについて書きなさい」と。自分について書きなさいと言われたとき、自分について書くと煮つまっちゃうんですよ。煮つまって、そのままフリーズしかねない。だから、そういうときはカキフライについて書くんですよ。好きなものなら何でもいいんだけどね、コロッケでもメンチカツでも何でもいいんだけど……

出席者A　何で揚げ物なんですか（笑）。

村上　えーと、つまり、僕が言いたいのは、カキフライについて書くことは、自分について書くことと同じなのね。自分とカキフライの間の距離を書くことによって、自分を表現できると思う。それには、語彙はそんなに必要じゃないんですよね。いちばん必要なのは、別の視点を持ってくること。それが文章を書くには大事なことだと思うんですよね。みんな、つい自分について書いちゃうんです。でも、そういう文章って説得力がないんですよね。翻訳も同じ。テキストと自分との相関関係みたいなものが摑めていれば、それなりにうまい、自然な文章が書けるはずです。自分を出そうと思うと、やっぱり煮つまっちゃう。だから、これから文章を書こうと思ってつまったら、カキフライのことを思い出してみてください。べつにカキフライじゃなくてもいいんだけど、とにかく。

出席者A　はい（笑）。

カポーティとフィッツジェラルド

出席者D　村上さんは、『アンダーグラウンド』のようなノンフィクションも出されていますが、自分の言葉の外に出ようとして翻訳をやるのと、他の人に話を聞くのとは、通じるものがありますか。

村上　僕は、わりあいダイアローグが好きで、話し言葉で書くのが大好きなんです。オーギー・レンがずうっと話すでしょう、モノローグで。ああいうの、好きなんですよね。だから、『アンダーグラウンド』はノンフィクションということになってるけども、僕にとってはある意味では、ある部分ではれっきとしたフィクションなんですね。いちおう人の言ってることをそのまま書いてるんだけど、その息づかいとかがちょっとずつ変わるんですよ。読者に少しでも自然に受け入れてもらえるように、僕が書き換えてるから。でも、言っていることはそのままだし、言った本人が読んでも、変えられてるということは、絶対にわからないと思う。そういう意味では僕の翻訳に似ているかもしれないな。

　でもね、こういう言い方をすると、すごく傲慢に聞こえるかもしれないけど、自分の書く小説よりレベルが下の小説を訳すとつらいですね。

柴田　そういう経験がないのでわかりませんけど、でしょうね、つらいでしょうね、それは。

村上　はっきり言って、カーヴァーの初期の作品や未発表のものを訳していると、完成したカーヴァーなら、こういう言葉はちょっと書かないよな、というのはちょくちょく出てきます。そういうのはつらいですよ。体がもじもじしてきちゃう。だからそのへんは、自分で小説を書いてて翻訳をするというのは、難しいときは難しい。結局、どういうことかというと、それを訳すことによって自分にとって学べるものがあるかないかという問題になってきちゃうわけです。

出席者D　でも、さっきおっしゃったカポーティやフィッツジェラルドには、かなり負け続けですか？

村上　負け続けですね。まあどっちにも「これはちょっとなあ」というものはあるけれど、マスターピースに関して言えばやはり勝てっこないもの。

出席者D　あまりに負け続けると、今度はそのギャップのせいで、これはやってられないってことになりませんか。

村上　そんなことないですよ。だって、天才だもの、あの人たちは。天才というのは別モノなんです。空に浮かんだ星みたいなものです。ギャップがあること自体が逆に救いなんです。

柴田　カポーティとフィッツジェラルドと、けっこう違いません？

村上　ずいぶん違いますよ。

柴田　僕はカポーティというのは、すごく細部までコントロールしないと気が済まない人っていう感じがするんですよね。フィッツジェラルドのほうが、言葉のアンビギュイティーに任せている気がするんですよ。

村上　ほんとに自然な文章ですよね。カポーティは見事な才能はあるし、文章なんか惚れぼれしちゃうけど、やはりどこか頭の中で計算して、考えてるんですよね。

柴田　そうですね。そういう意味で、フィッツジェラルドがすごいときはほんとにすごいなと思います。

村上　フィッツジェラルドは文句なしにすごいですね。汲んでも汲んでも滋味が尽きないというか。だから翻訳のしがいもあるわけですが。

柴田　では、村上春樹訳『グレイト・ギャッツビー』『夜はやさし』を近い将来に期待することにして、終わりにしましょうか。どうもありがとうございました。

あとがき

柴田元幸

中学校のときに職業適性検査のようなものを学校でやって、その結果僕については、この人はやりたいことは芸術的・創造的なことに大きく傾いているけれども、そうした方面の能力ははなはだ貧しく、むしろ能力的には実務的・事務的なことに向いている、という結果が出た。要するに、やりたいこととやれることとがぜんぜん合っていない人間、という診断が下されたわけだ。

あれから三十年以上の時が経ち、結局いまどういうことをやっているかというと、大学では学生さんたちが英語の小説を読むのを手伝い、大学の外ではそういう小説を翻訳して一般読者に紹介している。結果としてはまさに――特に翻訳については――芸術的・創造的なものに間接的にかかわりつつ、実務的・事務的な能力もそれなりに必要とされることをやっていると言える。願望と能力がひとまず共存した仕事をやれているわけで、つくづく自分は幸運だと思う。

幸運といえば、大学院生だったころ（これは二十年近く前の話）、僕にとって神様のような存在は三人いた。心理学者の岸田秀さんと、批評家の三浦雅士さんと、作家の村上春樹さん。岸田さんとは残念ながら面識がないが、三浦さんとは、現在三浦さんが編集主幹をなさっている新書館でいろいろ仕事をさせてもらっている。そして村上さんとは、訳文チェック役に長年起用していただいたばかりか、こうして一緒に本まで作ることができた。神様たちと一緒に仕事が、それも僕にとっては遊びのように楽しい仕事ができていると思うと、自分の幸運がほとんど信じられなくなる。

村上さんからは前々から、翻訳について何か本を作りたいですね、と言っていただいていたが、案が具体化したのは、僕が東大駒場でやっている翻訳の授業に、村上さんにゲスト出演してもらったことがきっかけである。僕や学生が質問をして、村上さんに答えてもらうというかたちで授業をやってみたところ、とても面白かった。この時のやりとりを収めたのが、この本の第一部である。で、同じようなことを、聴衆のタイプを変えてもう二度ばかりやってみようということになり、第二部では翻訳学校の生徒さんたちに、第三部ではすでに訳書もある、柴田が個人的に信頼している若手翻訳者・研究者に集まってもらって、皆さんのご質問に村上・柴田が答えるフォーラムを行なった。

したがってこの本は、ひとまず村上・柴田が著者ということになっているが、実のところは、我々二人が自分の考えを展開する引き金を引いてくださった多くの質問者の方々との共同作業の産物である。第一部〜第三部を通して、聴衆・質問者となってくださったすべての皆さんにここでお礼を申し上げます。どうもありがとうございました。また、本にする上で残念ながらすべての質問を収録することはできなかったし、質問の表現を変えさせていただいた箇所も多い（我々自身の発言にも大幅に手を加えている）ことをお断りしておく。

第一部・第二部の質問者はお名前が特定できないが、第三部の参加者については、以下に名前と、主な訳書を挙げておく。（アイウエオ順）

岩本正恵　ローリー・ムーア『アメリカの鳥たち』、キャスリン・ハリソン『キス』（いずれも新潮社）など。
岸本佐知子　ニコルソン・ベイカー『中二階』（白水Uブックス）、ジョン・アーヴィング『サーカスの息子』（新潮社）など。
畔柳和代　アラン・ド・ボトン『プルーストによる人生改善法』（白水社）、ポール・オースター『ルル・オン・ザ・ブリッジ』（新潮文庫）など。
坂口緑　チャールズ・ブコウスキー『ポスト・オフィス』（幻冬舎アウトロー文庫）、ティム・オブライエン『失踪』（学習研究社）。
都甲幸治　マイケル・ヴェンチュラ『動物園　世界の終る場所』（学習研究社）、ジョン・アーヴィング『未亡人の一年』（新潮社、中川千帆氏と共訳）など。
前山佳朱彦　アストロ・テラー『エドガー@サイプラス』（文藝春秋）。

翻訳という営みについては、実践的な指南書もたくさん出ているし、ベテラン翻訳者の方が長年の体験や感慨を披露している本も多数ある。あるいはまた、アカデミズムのなかでは、ベンヤミン、デリダといった重鎮の先駆的論考から出発して多くの翻訳論研究がなされている。特に今日では、単一の文化について考えるよりも、文化と文化の衝突・接触などについて考えることが主流になっていて、trans- ナントカ、inter- カントカと名のつくものが脚光を浴びており、翻訳(translation)はほとんど花形研究テーマになっている感もある。そういう多くの先達があるなかで、この本がどこまで独自のものを提供できているかは、読者の判断を仰ぐしかないが、まあなんだか、翻訳という作業が好きで仕方ない二人の人間が、実際どういう気持ちでそんなことをやっているのか、その実感はある程度伝わっているかなとは（そんなものを伝えることに価値があるかどうかは別として）思う。二人とも、僕はこう思う、僕はこうです、と好き勝手なことをしゃべっているが、翻訳について何か客観的な正解とか権威的な断定とかを言っているつもりはまったくない。まあ、経験上こうやるとなんかうまく行くみたいです、と経験から物を言えるということはあるが（何せ二人とも、数はけっこうこなしているので）、それとて我々二人にとってはこうやるとうまく行くらしいということにすぎないし、我々二人のあいだでも、何がうまく行くかはずいぶん違う。"Just one man's opinion" といえば英語の決まり文句（「あくまで一人の意見」）だが、この本も、"just two men's opinion (s)" と捉えていただければ幸いである。翻訳の神様から見れば、我々はすべてアマチュアなのだ。

最後に、この本の生みの親であり、煩雑な編集作業を、創造性と実務能力の両立した見事な編集センスでこなしてくださった文藝春秋第一出版局の岡みどりさんと、最終段階で編集作業に加わってくださった文藝春秋新書局局長の東眞史さんに心からお礼を申し上げます。どうもありがとうございました。

Collectors

Raymond Carver

I was out of work. But any day I expected to hear from up north. I lay on the sofa and listened to the rain. Now and then I'd lift up and look through the curtain for the mailman.

There was no one on the street, nothing.

I hadn't been down again five minutes when I heard someone walk onto the porch, wait, and then knock. I lay still. I knew it wasn't the mailman. I knew his steps. You can't be too careful if you're out of work and you get notices in the mail or else pushed under your door. They come around wanting to talk, too, especially if you don't have a telephone.

The knock sounded again, louder, a bad sign. I eased up and tried to see onto the porch. But whoever was there was standing against the door, another bad sign. I knew the floor creaked, so there was no chance of slipping into the other room and looking out that window.

Another knock, and I said, Who's there?

This is Aubrey Bell, a man said. Are you Mr. Slater?

What is it you want? I called from the sofa.

I have something for Mrs. Slater. She's won something. Is Mrs. Slater home?

Mrs. Slater doesn't live here, I said.

Well, then, are you Mr. Slater? the man said. Mr. Slater . . . and the man sneezed.

I got off the sofa. I unlocked the door and opened it a little. He was an old guy, fat and bulky under his raincoat. Water ran off the coat and dripped onto the big suitcase contraption thing he carried.

He grinned and set down the big case. He put out his hand.

Aubrey Bell, he said.

I don't know you, I said.

Mrs. Slater, he began. Mrs. Slater filled out a card. He took cards from an inside pocket and shuffled them a minute. Mrs. Slater, he read. Two-fifty-five South Sixth East? Mrs. Slater is a winner.

He took off his hat and nodded solemnly, slapped the hat against his coat as if that were it, everything had been settled, the drive finished, the railhead reached.

He waited.

Mrs. Slater doesn't live here, I said. What'd she win?

I have to show you, he said. May I come in?

I don't know. If it won't take long, I said. I'm pretty busy.

Fine, he said. I'll just slide out of this coat first. And the galoshes. Wouldn't want to track up your carpet. I see you do have a carpet, Mr. . . .

His eyes had lighted and then dimmed at the sight of the carpet. He shuddered. Then he took off his coat. He shook it out and hung it by the collar over the doorknob. That's a good place for it, he said. Damn weather, anyway. He bent over and unfastened his galoshes. He set his case inside the room. He stepped out of the galoshes and into the room in a pair of slippers.

I closed the door. He saw me staring at the slippers and said, W. H. Auden wore slippers all through China on his first visit there. Never took them off. Corns.

I shrugged. I took one more look down the street for the mailman and shut the door again.

Aubrey Bell stared at the carpet. He pulled his lips. Then he laughed. He laughed and shook his head.

What's so funny? I said.

Nothing. Lord, he said. He laughed again. I think I'm losing my mind. I think I have a fever. He reached a hand to his forehead. His hair was matted and there was a ring around his scalp where the hat had been.

Do I feel hot to you? he said. I don't know, I think I might have a fever. He was still staring at the carpet. You have any aspirin?

What's the matter with you? I said. I hope you're not getting sick on me. I got things I have to do.

He shook his head. He sat down on the sofa. He stirred at the

carpet with his slippered foot.

I went to the kitchen, rinsed a cup, shook two aspirin out of a bottle.

Here, I said. Then I think you ought to leave.

Are you speaking for Mrs. Slater? he hissed. No, no, forget I said that, forget I said that. He wiped his face. He swallowed the aspirin. His eyes skipped around the bare room. Then he leaned forward with some effort and unsnapped the buckles on his case. The case flopped open, revealing compartments filled with an array of hoses, brushes, shiny pipes, and some kind of heavy-looking blue thing mounted on little wheels. He stared at these things as if surprised. Quietly, in a churchly voice, he said, Do you know what this is?

I moved closer. I'd say it was a vacuum cleaner. I'm not in the market, I said. No way am I in the market for a vacuum cleaner.

I want to show you something, he said. He took a card out of his jacket pocket. Look at this, he said. He handed me the card. Nobody said you were in the market. But look at the signature. Is that Mrs. Slater's signature or not?

I looked at the card. I held it up to the light. I turned it over, but the other side was blank. So what? I said.

Mrs. Slater's card was pulled at random out of a basket of cards. Hundreds of cards just like this little card. She has won a free vacuuming and carpet shampoo. Mrs. Slater is a winner. No strings. I am here even to do your mattress, Mr. . . . You'll be surprised to see what can collect in a mattress over the months, over the years. Every day, every night of our lives, we're leaving little bits of ourselves, flakes of this and that, behind. Where do they go, these bits and pieces of ourselves? Right through the sheets and into the mattress, *that's* where! Pillows, too. It's all the same.

He had been removing lengths of the shiny pipe and joining the parts together. Now he inserted the fitted pipes into the hose. He was on his knees, grunting. He attached some sort of scoop to the hose and lifted out the blue thing with wheels.

He let me examine the filter he intended to use.

Do you have a car? he asked.

No car, I said. I don't have a car. If I had a car I would drive you

someplace.

Too bad, he said. This little vacuum comes equipped with a sixty-foot extension cord. If you had a car, you could wheel this little vacuum right up to your car door and vacuum the plush carpeting and the luxurious reclining seats as well. You would be surprised how much of us gets lost, how much of us gathers, in those fine seats over the years.

Mr. Bell, I said, I think you better pack up your things and go. I say this without any malice whatsoever.

But he was looking around the room for a plug-in. He found one at the end of the sofa. The machine rattled as if there were a marble inside, anyway something loose inside, then settled to a hum.

Rilke lived in one castle after another, all of his adult life. Benefactors, he said loudly over the hum of the vacuum. He seldom rode in motorcars; he preferred trains. Then look at Voltaire at Cirey with Madame Châtelet. His death mask. Such serenity. He raised his right hand as if I were about to disagree. No, no, it isn't right, is it? Don't say it. But who knows? With that he turned and began to pull the vacuum into the other room.

There was a bed, a window. The covers were heaped on the floor. One pillow, one sheet over the mattress. He slipped the case from the pillow and then quickly stripped the sheet from the mattress. He stared at the mattress and gave me a look out of the corner of his eye. I went to the kitchen and got the chair. I sat down in the doorway and watched. First he tested the suction by putting the scoop against the palm of his hand. He bent and turned a dial on the vacuum. You have to turn it up full strength for a job like this one, he said. He checked the suction again, then extended the hose to the head of the bed and began to move the scoop down the mattress. The scoop tugged at the mattress. The vacuum whirred louder. He made three passes over the mattress, then switched off the machine. He pressed a lever and the lid popped open. He took out the filter. This filter is just for demonstration purposes. In normal use, all of this, this *material*, would go into your bag, here, he said. He pinched some of the dusty stuff between his fingers.

There must have been a cup of it.

He had this look to his face.

It's not my mattress, I said. I leaned forward in the chair and tried to show an interest.

Now the pillow, he said. He put the used filter on the sill and looked out the window for a minute. He turned. I want you to hold onto this end of the pillow, he said.

I got up and took hold of two corners of the pillow. I felt I was holding something by the ears.

Like this? I said.

He nodded. He went into the other room and came back with another filter.

How much do those things cost? I said.

Next to nothing, he said. They're only made out of paper and a little bit of plastic. Couldn't cost much.

He kicked on the vacuum and I held tight as the scoop sank into the pillow and moved down its length—once, twice, three times. He switched off the vacuum, removed the filter, and held it up without a word. He put it on the sill beside the other filter. Then he opened the closet door. He looked inside, but there was only a box of Mouse-Be-Gone.

I heard steps on the porch, the mail slot opened and clinked shut. We looked at each other.

He pulled on the vacuum and I followed him into the other room. We looked at the letter lying face down on the carpet near the front door.

I started toward the letter, turned and said, What else? It's getting late. This carpet's not worth fooling with. It's only a twelve-by-fifteen cotton carpet with no-skid backing from Rug City. It's not worth fooling with.

Do you have a full ashtray? he said. Or a potted plant or something like that? A handful of dirt would be fine.

I found the ashtray. He took it, dumped the contents onto the carpet, ground the ashes and cigarets under his slipper. He got down on his knees again and inserted a new filter. He took off his jacket and threw it onto the sofa. He was sweating under the arms.

Fat hung over his belt. He twisted off the scoop and attached another device to the hose. He adjusted his dial. He kicked on the machine and began to move back and forth, back and forth over the worn carpet. Twice I started for the letter. But he seemed to anticipate me, cut me off, so to speak, with his hose and his pipes and his sweeping and his sweeping. . . .

I took the chair back to the kitchen and sat there and watched him work. After a time he shut off the machine, opened the lid, and silently brought me the filter, alive with dust, hair, small grainy things. I looked at the filter, and then I got up and put it in the garbage.

He worked steadily now. No more explanations. He came out to the kitchen with a bottle that held a few ounces of green liquid. He put the bottle under the tap and filled it.

You know I can't pay anything, I said. I couldn't pay you a dollar if my life depended on it. You're going to have to write me off as a dead loss, that's all. You're wasting your time on me, I said.

I wanted it out in the open, no misunderstanding.

He went about his business. He put another attachment on the hose, in some complicated way hooked his bottle to the new attachment. He moved slowly over the carpet, now and then releasing little streams of emerald, moving the brush back and forth over the carpet, working up patches of foam.

I had said all that was on my mind. I sat on the chair in the kitchen, relaxed now, and watched him work. Once in a while I looked out the window at the rain. It had begun to get dark. He switched off the vacuum. He was in a corner near the front door.

You want coffee? I said.

He was breathing hard. He wiped his face.

I put on water and by the time it had boiled and I'd fixed up two cups he had everything dismantled and back in the case. Then he picked up the letter. He read the name on the letter and looked closely at the return address. He folded the letter in half and put it in his hip pocket. I kept watching him. That's all I did. The coffee began to cool.

It's for a Mr. Slater, he said. I'll see to it. He said, Maybe I will skip the coffee. I better not walk across this carpet. I just shampooed it.

That's true, I said. Then I said, You're sure that's who the letter's for?

He reached to the sofa for his jacket, put it on, and opened the front door. It was still raining. He stepped into his galoshes, fastened them, and then pulled on the raincoat and looked back inside.

You want to see it? he said. You don't believe me?

It just seems strange, I said.

Well, I'd better be off, he said. But he kept standing there. You want the vacuum or not?

I looked at the big case, closed now and ready to move on.

No, I said, I guess not. I'm going to be leaving here soon. It would just be in the way.

All right, he said, and he shut the door.

Auggie Wren's Christmas Story
Paul Auster

I heard this story from Auggie Wren. Since Auggie doesn't come off too well in it, at least not as well as he'd like to, he's asked me not to use his real name. Other than that, the whole business about the lost wallet and the blind woman and the Christmas dinner is just as he told it to me.

Auggie and I have known each other for close to eleven years now. He works behind the counter of a cigar store on Court Street in downtown Brooklyn, and since it's the only store that carries the little Dutch cigars I like to smoke, I go in there fairly often. For a long time, I didn't give much thought to Auggie Wren. He was the strange little man who wore a hooded blue sweatshirt and sold me cigars and magazines, the impish, wisecracking character who always had something funny to say about the weather or the Mets or the politicians in Washington, and that was the extent of it.

But then one day several years ago he happened to be looking through a magazine in the store, and he stumbled across a review of one of my books. He knew it was me because a photograph accompanied the review, and after that things changed between us. I was no longer just another customer to Auggie, I had become a distinguished person. Most people couldn't care less about books and writers, but it turned out that Auggie considered himself an artist. Now that he had cracked the secret of who I was, he embraced me as an ally, a confidant, a brother-in-arms. To tell the truth, I found it rather embarrassing. Then, almost inevitably, a moment came when he asked if I would be willing to look at his photographs. Given his enthusiasm and goodwill, there didn't seem to be any way I could turn him down.

God knows what I was expecting. At the very least, it wasn't what Auggie showed me the next day. In a small, windowless room

at the back of the store, he opened a cardboard box and pulled out twelve identical black photo albums. This was his life's work, he said, and it didn't take him more than five minutes a day to do it. Every morning for the past twelve years, he had stood at the corner of Atlantic Avenue and Clinton Street at precisely seven o'clock and had taken a single color photograph of precisely the same view. The project now ran to more than four thousand photographs. Each album represented a different year, and all the pictures were laid out in sequence, from January 1 to December 31, with the dates carefully recorded under each one.

As I flipped through the albums and began to study Auggie's work, I didn't know what to think. My first impression was that it was the oddest, most bewildering thing I had ever seen. All the pictures were the same. The whole project was a numbing onslaught of repetition, the same street and the same buildings over and over again, an unrelenting delirium of redundant images. I couldn't think of anything to say to Auggie, so I continued turning pages, nodding my head in feigned appreciation. Auggie himself seemed unperturbed, watching me with a broad smile on his face, but after I'd been at it for several minutes, he suddenly interrupted me and said, "You're going too fast. You'll never get it if you don't slow down."

He was right, of course. If you don't take the time to look, you'll never manage to see anything. I picked up another album and forced myself to go more deliberately. I paid closer attention to details, took note of shifts in the weather, watched for the changing angles of light as the seasons advanced. Eventually, I was able to detect subtle differences in the traffic flow, to anticipate the rhythm of the different days (the commotion of workday mornings, the relative stillness of weekends, the contrast between Saturdays and Sundays). And then, little by little, I began to recognize the faces of the people in the background, the passers-by on their way to work, the same people in the same spot every morning, living an instant of their lives in the field of Auggie's camera.

Once I got to know them, I began to study their postures, the way they carried themselves from one morning to the next, trying to

discover their moods from these surface indications, as if I could imagine stories for them, as if I could penetrate the invisible dramas locked inside their bodies. I picked up another album. I was no longer bored, no longer puzzled as I had been at first. Auggie was photographing time, I realized, both natural time and human time, and he was doing it by planting himself in one tiny corner of the world and willing it to be his own, by standing guard in the space he had chosen for himself. As he watched me pore over his work, Auggie continued to smile with pleasure. Then, almost as if he had been reading my thoughts, he began to recite a line from Shakespeare. "Tomorrow and tomorrow and tomorrow," he muttered under his breath, "time creeps on its petty pace." I understood then that he knew exactly what he was doing.

That was more than two thousand pictures ago. Since that day, Auggie and I have discussed his work many times, but it was only last week that I learned how he acquired his camera and started taking pictures in the first place. That was the subject of the story he told me, and I'm still struggling to make sense of it.

Earlier that same week, a man from the *New York Times* called me and asked if I would be willing to write a short story that would appear in the paper on Christmas morning. My first impulse was to say no, but the man was very charming and persistent, and by the end of the conversation I told him I would give it a try. The moment I hung up the phone, however, I fell into a deep panic. What did I know about Christmas? I asked myself. What did I know about writing short stories on commission?

I spent the next several days in despair, warring with the ghosts of Dickens, O. Henry and other masters of the Yuletide spirit. The very phrase "Christmas story" had unpleasant associations for me, evoking dreadful outpourings of hypocritical mush and treacle. Even at their best, Christmas stories were no more than wish-fulfillment dreams, fairy tales for adults, and I'd be damned if I'd ever allowed myself to write something like that. And yet, how could anyone propose to write an unsentimental Christmas story? It was a contradiction in terms, an impossibility, an out-and-out conundrum. One might just as well try to imagine a racehorse

without legs, or a sparrow without wings.

I got nowhere. On Thursday I went out for a long walk, hoping the air would clear my head. Just past noon, I stopped in at the cigar store to replenish my supply, and there was Auggie, standing behind the counter as always. He asked me how I was. Without really meaning to, I found myself unburdening my troubles to him. "A Christmas story?" he said after I had finished. "Is that all? If you buy me lunch, my friend, I'll tell you the best Christmas story you ever heard. And I guarantee that every word of it is true."

We walked down the block to Jack's, a cramped and boisterous delicatessen with good pastrami sandwiches and photographs of old Dodgers teams hanging on the walls. We found a table at the back, ordered our food, and then Auggie launched into his story.

"It was the summer of seventy-two," he said. "A kid came in one morning and started stealing things from the store. He must have been about nineteen or twenty, and I don't think I've ever seen a more pathetic shoplifter in my life. He's standing by the rack of paperbacks along the far wall and stuffing books into the pockets of his raincoat. It was crowded around the counter just then, so I didn't see him at first. But once I noticed what he was up to, I started to shout. He took off like a jackrabbit, and by the time I managed to get out from behind the counter, he was already tearing down Atlantic Avenue. I chased after him for about half a block, and then I gave up. He'd dropped something along the way, and since I didn't feel like running anymore, I bent down to see what it was.

"It turned out to be his wallet. There wasn't any money inside, but his driver's license was there along with three or four snapshots. I suppose I could have called the cops and had him arrested. I had his name and address from the license, but I felt kind of sorry for him. He was just a measly little punk, and once I looked at those pictures in his wallet, I couldn't bring myself to feel very angry at him. Robert Goodwin. That was his name. In one of the pictures, I remember, he was standing with his arm around his mother or grandmother. In another one, he was sitting there at age nine or ten dressed in a baseball uniform with a big smile on his

face. I just didn't have the heart. He was probably on dope now, I figured. A poor kid from Brooklyn without much going for him, and who cared about a couple of trashy paperbacks anyway?

"So I held onto the wallet. Every once in a while I'd get a little urge to send it back to him, but I kept delaying and never did anything about it. Then Christmas rolls around and I'm stuck with nothing to do. The boss usually invites me over to his house to spend the day, but that year he and his family were down in Florida visiting relatives. So I'm sitting in my apartment that morning feeling a little sorry for myself, and then I see Robert Goodwin's wallet lying on a shelf in the kitchen. I figure what the hell, why not do something nice for once, and I put on my coat and go out to return the wallet in person.

"The address was over in Boerum Hill, somewhere in the projects. It was freezing out that day, and I remember getting lost a few times trying to find the right building. Everything looks the same in that place, and you keep going over the same ground thinking you're somewhere else. Anyway, I finally get to the apartment I'm looking for and ring the bell. Nothing happens. I assume no one's there, but I try again just to make sure. I wait a little longer, and just when I'm about to give up, I hear someone shuffling to the door. An old woman's voice asks who's there, and I say I'm looking for Robert Goodwin. 'Is that you, Robert?' the old woman says, and then she undoes about fifteen locks and opens the door.

"She has to be at least eighty, maybe ninety years old, and the first thing I notice about her is that she's blind. 'I knew you'd come, Robert,' she says. 'I knew you wouldn't forget your Granny Ethel on Christmas.' And then she opens her arms as if she's about to hug me.

"I didn't have much time to think, you understand. I had to say something real fast, and before I knew what was happening, I could hear the words coming out of my mouth. 'That's right, Granny Ethel,' I said. 'I came back to see you on Christmas.' Don't ask me why I did it. I don't have any idea. Maybe I didn't want to disappoint her or something, I don't know. It just came out that way, and then this old woman was suddenly hugging me there in

front of the door, and I was hugging her back.

"I didn't exactly say that I was her grandson. Not in so many words, at least, but that was the implication. I wasn't trying to trick her, though. It was like a game we'd both decided to play—without having to discuss the rules. I mean, that woman *knew* I wasn't her grandson Robert. She was old and dotty, but she wasn't so far gone that she couldn't tell the difference between a stranger and her own flesh and blood. But it made her happy to pretend, and since I had nothing better to do anyway, I was happy to go along with her.

"So we went into the apartment and spent the day together. The place was a real dump, I might add, but what else can you expect from a blind woman, who does her own housekeeping? Every time she asked me a question about how I was, I would lie to her. I told her I'd found a good job working in a cigar store, I told her I was about to get married, I told her a hundred pretty stories, and she made like she believed every one of them. 'That's fine, Robert,' she would say, nodding her head and smiling. 'I always knew things would work out for you.'

"After a while, I started getting pretty hungry. There didn't seem to be much food in the house, so I went out to a store in the neighborhood and brought back a mess of stuff. A precooked chicken, vegetable soup, a bucket of potato salad, a chocolate cake, all kinds of things. Ethel had a couple of bottles of wine stashed in her bedroom, and so between us we managed to put together a fairly decent Christmas dinner. We both got a little tipsy from the wine, I remember, and after the meal was over we went out to sit in the living room, where the chairs were more comfortable. I had to take a pee, so I excused myself and went to the bathroom down the hall. That's where things took yet another turn. It was ditsy enough doing my little jig as Ethel's grandson, but what I did next was positively crazy, and I've never forgiven myself for it.

"I go into the bathroom, and stacked up against the wall next to the shower, I see a pile of six or seven cameras. Brand-new thirty-five-millimeter cameras, still in their boxes, top-quality merchandise. I figure this is the work of the real Robert, a storage place for one of his recent hauls. I've never taken a picture in my

life, and I've certainly never stolen anything, but the moment I see those cameras sitting in the bathroom, I decide I want one of them for myself. Just like that. And without even stopping to think about it, I tuck one of the boxes under my arm and go back to the living room.

"I couldn't have been gone for more than a few minutes, but in that time Granny Ethel had fallen asleep in her chair. Too much Chianti, I suppose. I went into the kitchen to wash the dishes, and she slept on through the whole racket, snoring like a baby. There didn't seem to be any point in disturbing her, so I decided to leave. I couldn't even write a note to say good-bye, seeing that she was blind and all, and so I just left. I put her grandson's wallet on the table, picked up the camera again, and walked out of the apartment. And that's the end of the story."

"Did you ever go back to see her?" I asked.

"Once," he said. "About three or four months later. I felt so bad about stealing the camera, I hadn't even used it yet. I finally made up my mind to return it, but Ethel wasn't there anymore. I don't know what happened to her, but someone else had moved into the apartment, and he couldn't tell me where she was."

"She probably died."

"Yeah, probably."

"Which means that she spent her last Christmas with you."

"I guess so. I never thought of it that way."

"It was a good deed, Auggie. It was a nice thing you did for her."

"I lied to her, and then I stole from her. I don't see how you can call that a good deed."

"You made her happy. And the camera was stolen anyway. It's not as if the person you took it from really owned it."

"Anything for art, eh, Paul?"

"I wouldn't say that. But at least you've put the camera to good use."

"And now you've got your Christmas story, don't you?"

"Yes," I said. "I suppose I do."

I paused for a moment, studying Auggie as a wicked grin spread across his face. I couldn't be sure, but the look in his eyes at that

moment was so mysterious, so fraught with the glow of some inner delight, that it suddenly occurred to me that he had made the whole thing up. I was about to ask him if he'd been putting me on, but then I realized he would never tell. I had been tricked into believing him, and that was the only thing that mattered. As long as there's one person to believe it, there's no story that can't be true.

"You're an ace, Auggie," I said "Thanks for being so helpful."

"Any time," he answered, still looking at me with that maniacal light in his eyes. "After all, if you can't share your secrets with your friends, what kind of a friend are you?"

"I guess I owe you one."

"No you don't. Just put it down the way I told it to you, and you don't owe me a thing."

"Except the lunch."

"That's right. Except the lunch."

I returned Auggie's smile with a smile of my own, and then I called out to the waiter and asked for the check.

村上春樹（むらかみ　はるき）
1949年京都府生まれ。79年『風の歌を聴け』でデビュー。主な著書に『ノルウェイの森』『ねじまき鳥クロニクル』『アンダーグラウンド』、訳書に『レイモンド・カーヴァー全集』、J・アーヴィング『熊を放つ』、T・オブライエン『本当の戦争の話をしよう』、M・ギルモア『心臓を貫かれて』などがある。

柴田元幸（しばた　もとゆき）
1954年東京都生まれ。東京大学文学部助教授。主な著書に『アメリカ文学のレッスン』、『生半可な學者』、訳書に、P・オースター『幽霊たち』『偶然の音楽』、S・ミルハウザー『イン・ザ・ペニー・アーケード』、S・エリクソン『黒い時計の旅』、R・パワーズ『舞踏会へ向かう三人の農夫』などがある。

文春新書

129

翻訳夜話《ほんやくやわ》

平成12年10月20日　第1刷発行

著　者　村上春樹
　　　　柴田元幸
発行者　東　眞史
発行所　株式会社　文藝春秋

〒102-8008　東京都千代田区紀尾井町3-23
電話（03）3265-1211（代表）

印刷所　理想社
付物印刷　大日本印刷
製本所　大口製本

定価はカバーに表示してあります。
万一、落丁・乱丁の場合は送料小社負担でお取替え致します。

ISBN4-16-660129-6

文春新書

◆文学・ことば

「吾輩は猫である」の謎	長山靖生	009
これでいいのか、にっぽんのうた	藍川由美	014
尾崎 翠	群ようこ	016
清張ミステリーと昭和三十年代	藤井淑禎	033
面白すぎる日記たち	鴨下信一	042
江戸諷詠散歩	秋山忠彌	058
広辞苑を読む	柳瀬尚紀	081
江戸川柳で読む平家物語	阿部達二	121

◆社会と暮らし

コンビニ ファミレス 回転寿司	中村靖彦	017
どこまで続くヌカルミぞ	俵 孝太郎	063
ペットと日本人	宇都宮直子	075
発酵食品礼讃	小泉武夫	076
フランスワイン 愉しいライバル物語	山本 博	090
毒草を食べてみた	植松 黎	099
現代広告の読み方	佐野山寛太	101
ワインという物語	大岡 玲	106
マンションは大丈夫か	小菊豊久	119

◆教える・育てる

幼児教育と脳	澤口俊之	054
非行を叱る	野代仁子	059
塾の力	小宮山博仁	080
不登校の解法	団 士郎	085

◆こころと健康・医学

こころと体の対話	神庭重信	041
愛と癒しのコミュニオン	鈴木秀子	047
ハゲ、インポテンス、アルツハイマーの薬	宮田親平	051
日本の古代医術	槇 佐知子	052
ガン遺伝子を追いつめる	掛札 堅	070
人と接するのがつらい	根本橘夫	074
熟年性革命報告	小林照幸	095
依存症	信田さよ子	108
アトピービジネス	竹原和彦	111
不幸になりたがる人たち	春日武彦	113
入れ歯の文化史	笠原 浩	118

(2000. 9)